ANIMAIS
BRASILEIROS

ENCONTRE MAIS
LIVROS COMO ESTE

Copyright desta obra © IBC - Instituto Brasileiro De Cultura, 2021

Reservados todos os direitos desta produção, pela lei 9.610 de 19.2.1998.

6ª Impressão 2024

Presidente: Paulo Roberto Houch
MTB 0083982/SP

Coordenação Editorial: Priscilla Sipans
Coordenação de Arte: Rubens Martim
Projeto Gráfico: Quatria Comunicação
Edição de Texto e revisão: Shirley Sodré e Mirella Moreno
Diagramação: Felipe Fiuza
Direção de Arte: Gustavo Mendes
Consultoria de conteúdo e pesquisa: Luca Mantocanelli (biólogo)

Referências bibliográficas: Livro Vermelho da Fauna Brasileira Ameaçada de
Extinção. 1. ed. Brasília, DF: ICMBio/MMA, 2018. 7 v.: il. / Volume II – Mamíferos;
Volume III – Aves; Volume IV – Répteis; Volume V – Anfíbios; Volume VI – Peixes.

Vendas: Tel.: (11) 3393-7727 (comercial2@editoraonline.com.br)

Foi feito o depósito legal.
Impresso na China

Dados Internacionais de Catalogação na Publicação (CIP)
(eDOC BRASIL, Belo Horizonte/MG)

M538a   Mendes, Gustavo.
       Animais brasileiros / Gustavo Mendes. – Barueri, SP: Camelot,
     2021.
       15,5 x 23 cm – (Mundo Animal)

       ISBN 978-65-87817-47-7

       1. Animais – Brasil. 2. Biodiversidade. I. Título.
                    CDD 590

Elaborado por Maurício Amormino Júnior – CRB6/2422

IBC — Instituto Brasileiro de Cultura LTDA
CNPJ 04.207.648/0001-94
Avenida Juruá, 762 — Alphaville Industrial
CEP. 06455-010 — Barueri/SP
www.editoraonline.com.br

SUMÁRIO

MAMÍFEROS

Os mamíferos constituem uma das classes de animais vertebrados mais diversificadas em termos morfológicos e de ocupação de hábitat. Há animais bastante distintos como o gambá, a baleia, o morcego, o homem, e muitos outros. Entre os seus representantes, podem ser classificados de acordo com as seguintes características: animais ovíparos, como o ornitorrinco, marsupiais, cujos filhotes nascem prematuros, e animais placentários, como o cachorro e o cavalo, cujos filhotes permanecem no interior do corpo da mãe.

A classe *mammalia* foi criada por Lineu (1707-1778), naturalista sueco, em 1758, para comportar os animais vertebrados que alimentam seus filhotes com leite produzido por glândulas mamárias. Além dessa característica básica, os mamíferos possuem o corpo coberto de pelos, sistema vascular com aorta única, presença de diafragma e maxilar constituído de dois ossos fundidos em um só. Presentes em todos os ambientes e climas, desde o nível do mar (e abaixo dele), até altas montanhas e cordilheiras, as espécies são, em sua maioria, terrestres, variando de acordo com as necessidades e com a capacidade de adaptação. Os menores representantes da classe encontram-se entre os mussaranhos, como o mussaranho-pigmeu, que mede cerca de 4 centímetros. No extremo oposto encontra-se a baleia-azul (*Balaenoptera musculus*), que chega a atingir cerca de 30 metros de comprimento, sendo o maior animal já conhecido de todas as classes. Entre as espécies terrestres, o maior é o elefante-africano (*Loxodonta africana*), que mede até 8 metros de comprimento por 4 metros de altura e pesa cerca de 7 toneladas.

De modo geral, em comparação a outros vertebrados, os mamíferos apresentam músculos mais aperfeiçoados na região do pescoço, da cabeça e das pernas, e uma quantidade menor de músculos segmentados na coluna vertebral.

O sistema nervoso dos mamíferos diferencia-se do de outros animais pelo enorme tamanho relativo do cérebro. Apesar de consumirem mais

Com mais de **4600** **espécies**, a classe é a mais evoluída

energia do que animais pecilotérmicos (a temperatura varia com o meio ambiente), tal capacidade resultou em um dos principais fatores para o sucesso da expansão dos mamíferos.

Um dos sentidos mais apurados em boa parte dos mamíferos é o olfato. Os bulbos (nervos) e os lobos olfativos constituem grande parte do cérebro de alguns insetívoros e são relativamente desenvolvidos em carnívoros e roedores. Já em outros animais, como as baleias, por exemplo, esse sentido é pouco desenvolvido. Nos golfinhos, chega a ser ausente. A audição também é bem desenvolvida, e nenhum outro vertebrado depende tanto dela quanto os mamíferos. Cerca de 20% dos animais desta classe utilizam o ouvido como meio principal de orientação.

Na maioria das espécies, a visão não permite distinguir as cores e os detalhes. Apenas o homem e alguns tipos de primata têm visão bastante desenvolvida, com exceção de algumas aves. Alguns mamíferos, como os morcegos, baleias e golfinhos, utilizam a ecolocalização para se orientar, emitem ultrassons e percebem os objetos à sua volta através do eco.

Com relação à fecundação dos mamíferos, ela é sempre interna e o período de gestação é bastante variável, geralmente mais longo entre os mamíferos de grande porte. Um diferencial dos mamíferos é o cuidado com a cria, maior e mais dedicado do que o de qualquer outra classe de animais, com seu ápice na espécie humana.

Por sua grande capacidade de aprender, recordar e inovar — diretamente ligada ao alto desenvolvimento cerebral —, os mamíferos destacam-se do ponto de vista comportamental. Muitas atitudes estão ligadas aos hábitos alimentares, à reprodução e à necessidade de se abrigar. Bastante variada é a vida social das espécies. A mais simples se manifesta no grupo territorial familiar, no entanto, muitos animais estabelecem grupos formados por diversas famílias. Numerosas espécies de carnívoros formam grupos de uma ou mais famílias e, às vezes, não toleram a presença de outros indivíduos da mesma espécie de um grupo diferente.

Cuíca-mormosa ↘

SITUAÇÃO
VULNERÁVEL
SITUAÇÃO

Marmosops paulensis
- **Família** *Didelphidae*
- **Tamanho** Comprimento: de 16 a 28 cm; peso: de 140 a 390 g
- **Hábitat** Animal noturno, vive no dossel, dificilmente desce ao chão da floresta e se alimenta de néctar
- **Reprodução** Gestação com média de 25 dias, com ninhadas de 1 a 7 filhotes
- **Alimentação** Onívoro, consome principalmente frutas, invertebrados e néctar nas épocas secas do ano

Os olhos grandes e salientes são suas marcas características.
Possui o feitio geral dos gambás, seus parentes próximos. No Brasil, existem duas espécies de cuíca, do gênero *Caluromys: C. philander* e *C. lanatus,* ambas conhecidas pelo nome vulgar de cuíca-lanosa, por causa de sua pelagem farta. Trata-se de animais noturnos e arborícolas. Solitários, exceto na época de acasalamento, quando os machos procuram as fêmeas, esses animais não têm reprodução sazonal, o que pode ocorrer em qualquer época do ano. Um indivíduo desta espécie chega a viver mais de 6 anos.

Gambá-de-orelha-branca ↘

Didelphis albiventris
- **Família** *Didelphidae*
- **Tamanho** Comprimento: de 30 a 50 cm; peso: de 0,5 a 2,5 kg
- **Hábitat** Florestas arbustivas e campestres. Animal arborícola e de hábitos noturnos
- **Reprodução** Gestação de 15 dias e 45 dias de marsúpio
- **Alimentação** Onívoro, come pequenos vertebrados, insetos, larvas e vegetais

Saco vazio ou ventre oco em tupi, o gambá é geralmente lembrado pelo cheiro desagradável que exala. O forte odor, além de ser uma defesa, é um sinal de indicação do cio das fêmeas. Quando o gambá se sente ameaçado, finge-se de morto para depois fugir. De hábitos noturnos, terrestres e arborícolas, passa o dia dormindo em tocas e, solitário, costuma ser agressivo. Ele nasce muito pequeno, ainda em fase embrionária, e tem de se deslocar até o marsúpio, uma bolsa no ventre da mãe. Completa o desenvolvimento total com cerca de 90 dias. No Brasil, a espécie também é chamada por outros nomes, como mucura, timbu, suruê. Este é um animal sinantrópico, que carrega vetores que podem causar doenças. Devido à diminuição de seu hábitat, está constantemente em contato com os seres humanos.

Preguiça-real ↘

SITUAÇÃO VULNERÁVEL SITUAÇÃO

Choloepus didactylus
· **Família** *Megalonychidae*
· **Tamanho**
Comprimento: de 46 a 86 cm; peso: de 4 a 8,5 kg
· **Hábitat** Possui hábitos solitários e arborícola restrito, vive em matas primárias e secundárias
· **Reprodução** Gestação de cerca de 6 meses, com apenas 1 filhote por ano
· **Alimentação** Herbívoro, consome brotos, folhas e frutos

De hábitos noturnos, passa o dia em um estado de semitorpor, pendurada de cabeça para baixo, nos galhos das árvores. Mesmo à noite, quando sai em busca de alimento, movimenta-se vagarosamente. No chão, onde faz as necessidades fisiológicas, move-se ainda mais devagar, o que a torna uma presa fácil para os seus predadores — os carnívoros de grande porte. Já na água, é capaz de nadar rapidamente. Com pernas mais longas que as da preguiça-de-três-dedos, caracteriza-se por possuir apenas dois dedos nas patas dianteiras, cujas garras, que servem como eficientes armas contra inimigos, podem chegar a 8 centímetros. Por ingerir grandes quantidades de vegetais, tem sua taxa metabólica reduzida para concentrar energia na digestão, o que torna seu comportamento lento e preguiçoso. É a maior espécie de preguiça. Livre, chega a viver até 11 anos.

Tatupeba ↘

SITUAÇÃO VULNERÁVEL SITUAÇÃO

Euphractus sexcinctus
- **Família** *Dasypodidae*
- **Tamanho** Comprimento: de 64 a 66 cm; peso: de 3,2 a 6,5 kg
- **Hábitat** Remanescentes de floresta estacional decidual no cerrado e no Pantanal. Animal noturno, gosta de se abrigar em tocas de até 2 metros de profundidade
- **Reprodução** Gestação de cerca de 2 meses e ninhada de 2 filhotes
- **Alimentação** Onívoro, alimenta-se de formigas, vegetais, insetos e pequenos vertebrados

Assim como os outros tatus, este animal possui o corpo recoberto por um tipo de couraça composta de placas ósseas de coloração que vai do amarelado ao marrom-claro. Ocupa campos e cerrados, onde escava túneis para se esconder, mas frequentemente reutiliza suas tocas, diferindo-se de outros tatus. Possui hábitos diurnos, uma vez que a visão do tatupeba é pouco desenvolvida. Nesse caso, o bom olfato é primordial para que ele procure alimento. Esta espécie é vítima constante de atropelamentos rodoviários e, embora sua carne apresente sabor forte, frequentemente é caçado para ser consumido, o que é proibido. Apesar desses fatores de ameaça, o tatupeba vem resistindo aos distúrbios, mas, ainda assim, é classificado como vulnerável.

Tamanduá-bandeira ↘

Animal pacífico, solitário e de hábitos naturalmente diurnos, vive no chão, mas é capaz de subir em árvores e de nadar. Os longos pelos da cauda formam uma espécie de bandeira. De cor geralmente cinza-acastanhada, apresenta uma banda preta que sobe do peito até a metade do dorso, ladeada por duas linhas de pelos brancos. Localiza seu alimento graças ao olfato bem desenvolvido e usa suas poderosas garras para cavar a terra do formigueiro ou cupinzeiro. Depois, com a língua pegajosa, de mais de 50 centímetros, captura os insetos, que são imediatamente engolidos. Lento e silencioso, caminha apoiado no dorso das mãos. Quando ameaçado, fica em posição ereta e usa as garras das patas dianteiras para se defender.

SITUAÇÃO VULNERÁVEL SITUAÇÃO

Myrmecophaga tridactyla
- **Família** *Myrmecophagidae*
- **Tamanho** Comprimento médio de 1,2 m; peso: de 18 a 40 kg
- **Hábitat** Hábito terrestre e solitário, exceto quando podem ser formados casais. Pode ter atividade ao longo do dia e da noite. Vive em campos limpos, cerrados, florestas e até em campos com plantações
- **Reprodução** Cerca de 190 dias de gestação, nascendo apenas 1 filhote
- **Alimentação** Mirmecófago, alimenta-se de formigas, cupins e larvas

Vive no chão, mas é capaz **de subir em árvores e nadar**

Morcego ↘

Anoura geoffroyi
- **Família** *Phyllostomidae*
- **Tamanho** Comprimento: de 8,5 a 9,7 cm; peso: por volta de 15 g
- **Hábitat** Em florestas e áreas urbanas. Ativo à noite, vive preferencialmente em cavernas e bueiros sob rodovias
- **Reprodução** Gestação de cerca de 4 meses, nascendo, normalmente, 1 filhote por vez
- **Alimentação** Nectarívoro, consome néctar e pólen, mas também pode ingerir frutas e insetos

É capaz de se manter no ar, **quase como um beija-flor**

Este pequeno morcego apresenta pelagem marrom-escura nas partes superiores do corpo e acinzentada nas partes de baixo, já os ombros e o pescoço são prateados. De hábitos noturnos, descansa sozinho ou em grupos em cavernas, de onde só sai depois do anoitecer. Voador habilidoso, é capaz de se manter no ar, num mesmo lugar para se alimentar — quase como os beija-flores. Em cativeiro, alguns indivíduos chegam a viver cerca de 10 anos.

Morcego-vampiro ↘

Desmodus rotundus

- **Família** *Phyllostomidae*
- **Tamanho** Comprimento: de 7 a 9,5 cm; peso: por volta de 26 a 42 g
- **Hábitat** Cavernas, poços antigos, minas, ocos de árvores e edifícios abandonados, preferencialmente próximos a corpos d'água
- **Reprodução** Gestação de cerca de 7 meses, nascendo 1 filhote, ocasionalmente 2
- **Alimentação** Hematófago, alimenta-se do sangue de mamíferos, principalmente das espécies domésticas

Uma das três espécies de morcego hematófago existentes no mundo. Ao contrário do que se pode imaginar, ele não faz dois "furinhos" na carne de outros animais. Dotado de grandes e afiados incisivos e caninos, o morcego-vampiro faz um pequeno corte na pele da presa, como se utilizasse uma lâmina de barbear, e lambe o sangue. Sua saliva contém um poderoso anticoagulante. Apesar de ser um animal voador, é ágil no chão. Ele é capaz de andar, saltitar e até mesmo correr pequenas distâncias. Quando avista uma presa, pousa e se aproxima pelo solo para atacá-la. Geralmente ele escala o corpo da vítima sem ser notado e escolhe o melhor ponto para retirar o sangue.

SITUAÇÃO
VULNERÁVEL
SITUAÇÃO

Bugio-preto ↘

Alouatta caraya
- **Família** *Atelidae*
- **Tamanho** Comprimento: de 39 a 72 cm; peso: de 3,7 a 7,3 kg
- **Hábitat** Floresta Atlântica de terras baixas, submontana e montana, estendendo-se até florestas sazonais semidecíduas e decíduas. Não é estrito a hábitats primários
- **Reprodução** Gestação de 180 dias, nascendo 1 filhote por vez
- **Alimentação** Folívoro-frugívoro, alimenta-se de folhas, brotos e frutos

Um dos maiores primatas do Brasil e da América do Sul, os bugios machos apresentam pelagem preta e uma barba revestindo o queixo, já as fêmeas e os filhotes são mais claros, da cor de palha. Eles passam a maior parte do dia descansando em galhos altos, onde se movimentam com o auxílio de sua cauda preênsil. Vivem em grupos liderados pelo macho mais velho e comunicam-se por gritos, gemidos, uivos e grunhidos. Cada som tem um significado específico, para alertar sobre algum perigo, como um filhote desgarrado, por exemplo. Ao amanhecer, roncam para demarcar território e intimidar intrusos de outro bando. A espécie vive, em média, 20 anos. Os bugios são vetores de bactérias e vírus que podem ser nocivos aos seres humanos, porém a conservação do hábitat desses primatas evita encontros indesejados com seres humanos.

Cuxiú-preto ↘

Chiropotes satanas
- **Família** *Phiteciidae*
- **Tamanho** Comprimento: de 33 a 44 cm; peso: de 2 a 4 kg
- **Hábitat** Endêmico a formações florestais da Mata Atlântica. Vive na vegetação primária
- **Reprodução** Gestação de 5 meses, nascendo 1 filhote por vez
- **Alimentação** Frugívoro, alimenta-se de frutas, flores, castanhas e sementes

Caracteriza-se por seus tufos de pelos macios na cabeça e no rosto. A cauda desta espécie é preênsil apenas na infância, depois, perde essa função. Animal arborícola de hábitos diurnos, vive em grandes grupos com cerca de 30 indivíduos. Costuma se deslocar rapidamente por vários quilômetros ao longo do dia em busca de alimento. Algumas vezes, um membro do bando fica para trás e os outros nem percebem. Quando isso acontece, esse macaco que ficou sozinho costuma se juntar a grupos de outras espécies, como macacos-pregos ou macacos-de-cheiro. Vive aproximadamente 20 anos. Seu hábitat localiza-se num arco de desmatamento, onde sofre pressão de caça e diminuição da área arbórea. Suspeita-se que tenha havido uma redução de ao menos 80% da população original nos últimos trinta anos, o que o tornou o primata mais ameaçado da Amazônia.

AMEAÇADO DE **EXTINÇÃO** AMEAÇADO DE

Macaco-prego ↘

Com pelagem que varia do marrom-claro ao preto, mais clara nos ombros e abaixo da barriga e mais escura na cauda, nos pés e nas mãos, esta espécie possui cauda longa e semipreênsil. Arborícola de hábitos diurnos, vive nas partes médias e baixas das florestas e, às vezes, desce ao solo para pegar algum alimento ou brincar. O grupo é liderado por um macho, que é o principal responsável pela segurança de todos. Quando ameaçado, o líder emite sons de alerta que chamam a atenção dos demais, possibilitando a fuga do bando.

SITUAÇÃO VULNERÁVEL SITUAÇÃO

Cebus apella
- **Família** *Cebidae*
- **Tamanho** Comprimento: de 35 a 49 cm; peso: de 1,7 a 4,5 kg
- **Hábitat** Ocorre em floresta ombrófila densa e submontana, mangue, floresta semidecídua em áreas de cerrado e caatinga arbórea e arbustiva
- **Reprodução** Gestação de 150 a 160 dias, com 1 filhote por vez
- **Alimentação** Onívoro, alimenta-se de frutas, artrópodes e pequenos vertebrados

Inteligente e curioso, este macaco **gosta muito de brincar,** especialmente quando jovem

Macaco-aranha ↘

AMEAÇADO DE **EXTINÇÃO** AMEAÇADO DE

Ateles belzebuth
- **Família** *Atelidae*
- **Tamanho** Comprimento: de 42 a 58 cm; peso: de 5,9 a 10,4 kg
- **Hábitat** Ocorre, preferencialmente, em floresta tropical de terra firme, podendo estar associada ao relevo acidentado das encostas de serra
- **Reprodução** Gestação de 210 a 215 dias
- **Alimentação** frugívoro herbívoro, alimenta-se de frutos, folhas, brotos e flores

Seus membros longos e finos, que lembram os de uma aranha, deram origem ao nome popular da espécie. O pelo escuro varia de preto a castanho. As fêmeas se diferenciam por apresentar uma pele avermelhada na parte traseira. Animal de hábitos diurnos e arborícola, raramente desce ao solo. Habita o topo das árvores, onde se movimenta com grande rapidez. Ao saltar entre os galhos, é capaz de vencer vãos de mais de 10 metros. Grande parte dessa agilidade se deve à cauda preênsil, com grande precisão de agarre e que funciona praticamente como uma terceira mão. Com ela o macaco-aranha pega comida e objetos delicados. Os bandos concentram de 20 a 40 indivíduos, que costumam dormir em grupos, agarrados uns aos outros pela cauda.

AMEAÇADO DE
EXTINÇÃO
AMEAÇADO DE

Mico-leão-preto ↘

Leontopithecus chrysopygus
- **Família** *Callithrichidae*
- **Tamanho** Comprimento: de 25 a 30 cm; peso aproximado de 600 g
- **Hábitat** Endêmico da Mata Atlântica, onde ocorre em floresta estacional semidecidual
- **Reprodução** Gestação de 132 a 135 dias. Nascem 2 filhotes
- **Alimentação** Insetívoro onívoro, alimenta-se de frutas, insetos, anfíbios, pequenos lagartos, passarinhos e ovos

Embora seja menos conhecida, a espécie, símbolo da preservação da Mata Atlântica do estado de São Paulo, é considerada a mais ameaçada de extinção no país: poucas unidades de conservação a abrigam. Pequeno, esse primata caracteriza-se pela exuberante pelagem, especialmente farta na região da cabeça e do pescoço, que lhe confere um tipo de juba. Uma curiosidade deste animal diz respeito ao trato com os filhotes — quem cuida da cria é o macho, que a carrega o tempo todo, cuida, limpa e penteia. A mãe só fica com o recém-nascido nos primeiros quatro dias e para amamentá-lo. Mesmo durante esses intervalos, o pai costuma estar por perto. Usualmente monogâmico, o mico-leão-preto vive com seu grupo familiar, formado, em geral, pelo casal e pela prole das últimas crias. Os filhotes permanecem com o grupo até a maturidade sexual, aos 16 ou 20 meses.

Mico-leão-dourado ↘

Animal-símbolo da Mata Atlântica do Rio de Janeiro, este primata tem coloração que varia de dourado a vermelho-dourado e laranja. Pode viver até 15 anos e o faz em grupos familiares com seis micos em média. Abriga-se em buracos nas árvores feitos por outros animais. Além da pelagem exuberante, caracteriza-se pelas mãos e dedos muito compridos e finos, adaptados para pegar insetos e anfíbios nos ocos e nos troncos e galhos. Embora seja um animal social, o mico-leão-dourado é capaz de lutar até a morte para defender seu território. A devastação da Mata Atlântica quase exterminou toda a população da espécie.

AMEAÇADO DE EXTINÇÃO AMEAÇADO DE

Leontopithecus rosalia
- **Família** *Callithrichidae*
- **Tamanho** Comprimento: de 22 a 28 cm; peso: de 410 a 650 g
- **Hábitat** Florestas de baixada com estação chuvosa sazonal
- **Reprodução** Gestação de 4 a 5 meses. Nascem 2 filhotes
- **Alimentação** Frutos, moluscos, insetos e pequenos vertebrados

É capaz de lutar
até a morte
para **defender
seu território**

AMEAÇADO DE
EXTINÇÃO
AMEAÇADO DE

Muriqui ↘

Brachyteles arachnoides
- **Família** *Atelidae*
- **Tamanho** Comprimento aproximado de 1,35 m; peso: de 12 a 15 kg
- **Hábitat** Típico da Floresta Ombrófila Densa em todas as suas formações, baixo-montana, montana e alto-montana
- **Reprodução** Gestação de 7 a 8 meses, nascendo 1 filhote
- **Alimentação** Frugívoro herbívoro, alimenta-se de frutos, brotos e folhas, sementes e frutas

O mono-carvoeiro, maior primata das Américas, está seriamente ameaçado de extinção. O nome popular vem da cor de sua face, mãos e pés: negra, como a dos trabalhadores das minas de carvão. Animal arborícola de hábitos diurnos, vive em grupos de 8 a 42 indivíduos. Quando encontra árvores carregadas de frutos, ele permanece vários dias no mesmo local. Diferentemente dos demais primatas, são as fêmeas que copulam com diversos machos. A espécie pode viver até os 20 anos. Este animal sofre ameaças resultantes da perda, fragmentação e degradação da qualidade de seu hábitat e da caça, especialmente devido a assentamentos rurais, além de agricultura e pecuária. A espécie foi categorizada como criticamente em perigo.

Sagui-de-tufo-branco ↘

Callithrix jacchus
- **Família** *Callithrichidae*
- **Tamanho** Comprimento: de 23 a 35 cm; peso: de 261 a 323 g
- **Hábitat** Floresta estacional semidecidual, floresta ombrófila densa com abundância de bambus
- **Reprodução** Gestação de aproximadamente 150 dias, com cria de 1 a 3 filhotes
- **Alimentação** Gomífero (alimenta-se da goma das árvores)e onívoro (come frutos e insetos)

É caracterizado por tufos de pelo claro na região das orelhas. De hábitos diurnos, passa o dia procurando comida pelos galhos das árvores. Apesar de se movimentar com agilidade entre os ramos, evita pular de uma árvore para a outra. Poligâmico, vive em bandos de dezenas de indivíduos, que podem incluir subgrupos compostos de dois machos e uma fêmea, que se unem para acasalar e cuidar das crias. Os machos ajudam as fêmeas a carregar os pesados filhotes, que são relativamente grandes.

SITUAÇÃO VULNERÁVEL SITUAÇÃO

Ariranha ↘

Pteronura brasiliensis
- **Família** *Mustelidae*
- **Tamanho** Comprimento médio de 1,8 m; peso: de 24 a 34 kg
- **Hábitat** Semiaquático, em diversos tipos de rios, córregos, lagos, várzeas e florestas inundadas e em regiões sazonalmente alagáveis
- **Reprodução** Gestação de 65 a 70 dias, nascendo de 1 a 5 filhotes
- **Alimentação** Piscívoro, alimenta-se principalmente de peixes e moluscos

Mustelídeo exclusivo da América do Sul, a ariranha é muito parecida com a lontra, diferencia-se desta por ter uma pelagem marrom mais escura, que fica quase preta quando molhada, e uma mancha amarelada do peito até o queixo. Semiaquática e de hábitos diurnos, vive perto de margens de rios e lagos, onde constrói sua toca sob barrancos e raízes de árvores ribeirinhas. Possui membranas entre os dedos e uma longa e musculosa cauda achatada, que lhe dá grande impulso dentro d'água. Mergulha com precisão para capturar peixes, que carrega para comê-los em terra firme. Animal altamente social e monogâmico, vive em grupos de cinco a oito indivíduos. As populações encontram-se reduzidas devido à degradação do hábitat, poluição da água, agrotóxicos e mercúrio, além da destruição de abrigos nas margens de rios por inundação causada pelas hidrelétricas.

SITUAÇÃO VULNERÁVEL SITUAÇÃO

Cachorro-do-mato ↘

Cerdocyon thous
- **Família** *Canidae*
- **Tamanho**
Comprimento: de 59 a 76 cm; peso: de 9 a 10 kg
- **Hábitat** Ocorre em florestas não perturbadas na Amazônia, florestas de terra firme, alagadas, pioneiras com dominância de bambus
- **Reprodução** Gestação de 52 a 59 dias, nascendo de 2 a 5 filhotes
- **Alimentação** Carnívoro, alimenta-se de pequenos mamíferos, aves, répteis, insetos e frutas

De rabo peludo e focinho comprido, o cachorro-do-mato é um animal de hábitos diurnos. Marca seu território com as fezes e com a urina e forma grupos de, geralmente, cinco indivíduos. Quando vive perto de áreas habitadas pelo homem, é comum atacar criações de aves domésticas, o que o torna indesejado pelos fazendeiros. Também costuma ser visto em beira de estradas, onde procura por restos de animais atropelados, o que acaba muitas vezes causando sua própria morte. Vive até 10 anos.

AMEAÇADO DE **EXTINÇÃO** AMEAÇADO DE

Gato-maracajá ↘

Leopardus wiedii
- **Família** *Felidae*
- **Tamanho**
Comprimento: de 70 a 97 cm;
peso aproximado de 4 kg
- **Hábitat** Ambientes de
floresta e Caatinga, desde
formações densas contínuas
até pequenos fragmentos em
ecossistemas savânicos, como
matas primitivas a degradadas
- **Reprodução** Gestação
de 80 a 84 dias, nascendo,
geralmente, apenas 1 filhote
- **Alimentação**
Alimenta-se de pequenos
mamíferos terrestres e
arborícolas, pássaros
e répteis, mas também
de insetos e de frutas

**De porte pequeno e com
pelagem amarelo-escura** na
maior parte do corpo, com manchas
que se espalham longitudinalmente
da cabeça até a cauda, o gato-
maracajá é semelhante a um gato
comum, com pele de jaguatirica.
Animal arborícola e terrestre,
movimenta-se com agilidade e
rapidez. Graças às suas patas
traseiras, dotadas de articulações
capazes de girar até 180 graus,
este animal desce dos troncos
com a cabeça voltada para
baixo, diferentemente da maioria
dos felinos, que deslizam para
baixo com a cabeça para cima.
Tal habilidade lhe permite caçar
presas que habitam as árvores,
como alguns roedores e aves.

Guaxinim ↘

SITUAÇÃO VULNERÁVEL SITUAÇÃO

Procyon cancrivorus
- **Família** *Procyonidae*
- **Tamanho** Comprimento: de 54 a 65 cm; peso: de 3 a 7,7 kg
- **Hábitat** Ativo à noite, é bom escalador e nadador, com a sua ocorrência em áreas de floresta associada com corpos d'água
- **Reprodução** Gestação de 60 a 73 dias, com ninhadas de 2 a 7 filhotes, em média de 3 a 4
- **Alimentação** Frugívoro e onívoro, alimenta-se de moluscos, peixes, alguns insetos, anfíbios e frutas

Adapta-se facilmente a qualquer lugar onde houver água, comida e condições para fazer tocas. A mancha negra em torno dos olhos é sua marca característica. Em algumas espécies, essa mancha costuma se estender até as orelhas. Apresenta pelagem marrom no dorso e negra nas patas. Sua cauda corresponde a 50% do seu comprimento. Animal terrestre, de hábitos noturnos e solitário, passa o dia na toca. Vive e alimenta-se no solo, mas consegue subir em árvores e nadar muito bem. Os pequenos guaxinins nascem sem dentes e de olhos fechados, que se abrem após três semanas, quando começa a aparecer a característica mancha em torno dos olhos. Tornam-se independentes com 8 meses e sexualmente adultos com cerca de 1 ano de idade. Na natureza vivem em média 5 anos.

AMEAÇADO DE **EXTINÇÃO** AMEAÇADO DE

Jaguatirica ↘

Leopardus pardalis
- **Família** *Felidae*
- **Tamanho**
Comprimento: de 0,8 a
1,3 m; peso: de 7 a 15 kg
- **Hábitat** Áreas de
florestas e cerrado e até
mesmo em proximidades
de áreas agrícolas,
frequentemente visto em
áreas pouco protegidas
- **Reprodução** Gestação
de 70 a 85 dias, ninhada
de 1 a 4 filhotes
- **Alimentação**
Consome aves, répteis
e mamíferos de pequeno
e médio porte

Terceiro maior felino do Brasil, atrás
apenas da onça-pintada e da suçuarana,
seu corpo delgado e musculoso
apresenta uma pelagem curta — de
cor pardo-amarelada com manchas
negras arredondadas — que se torna
esbranquiçada no ventre e nas patas. A
jaguatirica é essencialmente noturna, mas
pode adquirir hábitos diurnos em áreas
de leve interferência humana ou onde
as presas têm hábitos diurnos. Caça e
caminha principalmente no chão, mas
também sobe em árvores com facilidade.
Vive solitária a maior parte do tempo,
exceto na época de acasalamento.
A espécie ocupa territórios distintos,
cujo tamanho pode variar muito. A
degradação do hábitat, o desmatamento
e as grandes queimadas prejudicam
muito essa espécie, que já foi criticamente
ameaçada pela ação do ser humano.

SITUAÇÃO **VULNERÁVEL** SITUAÇÃO

Lobo-guará ↘

Chrysocyon brachyurus
- **Família** *Canidae*
- **Tamanho** Comprimento: de 95 a 115 cm; peso: de 25 a 30 kg
- **Hábitat** Áreas abertas, como campos e matas de capoeira. Existem registros esporádicos em áreas do bioma do Pantanal e de transição do cerrado
- **Reprodução** Gestação de 62 a 66 dias, nascendo de 1 a 5 filhotes
- **Alimentação** Carnívoro, alimenta-se de pequenos roedores, aves, répteis, peixes, insetos, moluscos e frutas

Possui pernas longilíneas, pelos laranja-avermelhados, orelhas grandes e sempre alertas. A pelagem é escura nas costas, assim como no focinho e nas patas. Ele vive solitário e só se veem casais na época reprodutiva. O crescimento das cidades, e a consequente diminuição de seu hábitat, resulta em processos negativos à conservação da espécie. Essa ameaça se intensifica ainda mais com a transformação das regiões em que os lobos-guarás vivem em campos agrícolas ou destinados à pecuária. Muitos deles, especialmente os jovens, são vítimas de atropelamento. A recuperação das áreas e a construção de corredores ecológicos e passarelas sobre as rodovias possibilitariam a conexão entre os territórios e a conservação da espécie.

Onça-pintada ↘

O maior felino do Brasil é robusto e tem grande força muscular, apresenta pernas relativamente curtas em comparação ao corpo e cabeça arredondada. Sua pelagem possui fundo amarelado e rosetas negras por todo o corpo que funcionam como uma excelente camuflagem. Diferente da maioria dos felinos, a onça-pintada é capaz de nadar para atravessar algum rio e é também boa pescadora: ela utiliza a cauda para atrair os peixes e depois os pega com uma patada. De hábitos noturnos, este felino vive solitário e é territorialista. Machos e fêmeas costumam andar juntos apenas durante o período de reprodução.

SITUAÇÃO VULNERÁVEL SITUAÇÃO

Panthera onca
- **Família** *Felidae*
- **Tamanho** Comprimento: de 1,1 a 1,8 m; peso: de 31 a 158 kg
- **Hábitat** Vive em diferentes tipos de ambientes, de florestas tropicais, florestas alagadas a regiões desérticas
- **Reprodução** Gestação de 93 a 105 dias, com ninhadas de 1 a 4 filhotes
- **Alimentação** Carnívoro, alimenta-se, principalmente, de grandes mamíferos, como capivaras e veados, mas também come peixes e pequenos mamíferos

Capaz de nadar para atravessar algum rio, a onça-pintada é também **boa pescadora**

SITUAÇÃO **VULNERÁVEL** SITUAÇÃO

Puma ↘

Puma concolor
- **Família** *Felidae*
- **Tamanho** Comprimento: de 0,8 a 1,5 m; peso: de 29 a 120 kg
- **Hábitat** Desde florestas úmidas, tropicais e subtropicais até florestas temperadas, áreas montanhosas acima de 3 000 m de altitude, pântanos e chacos, e regiões extremamente áridas e/ou frias
- **Reprodução** Gestação de 90 a 96 dias, nascendo de 1 a 4 filhotes
- **Alimentação** Carnívoro, alimenta-se principalmente de mamíferos de médio e grande porte, como pacas, veados e cutias, mas também de peixes

Onça-parda, suçuarana ou jaguar, assim este felino de grande porte é chamado em algumas regiões. Sua coloração varia do marrom ao cinza e a enorme cauda o ajuda a se equilibrar pelos galhos das árvores. Com a maior distribuição geográfica natural entre os mamíferos do continente americano, costuma viver em locais de difícil acesso, como matas fechadas e montanhas remotas. Passa a maior parte do tempo sozinho, exceto durante a época de acasalamento. Os filhotes abrem os olhos com 10 dias, mamam até os 40 dias e permanecem com a mãe por cerca de 15 meses.

SITUAÇÃO
VULNERÁVEL
SITUAÇÃO

Quati ↘

Nasua nasua
- **Família** *Procyonidae*
- **Tamanho**
Comprimento: de 47 a 58 cm; peso: de 3 a 7,2 kg
- **Hábitat** Encontrado em áreas florestadas, apresentando atividade principalmente diurna
- **Reprodução** Gestação de 74 a 77 dias, com ninhadas de 3 a 7 filhotes
- **Alimentação** Onívoro, alimenta-se de frutas, invertebrados e pequenos animais

Terrestre e arborícola, é um ótimo escalador e nadador. De hábitos diurnos, passa a maior parte do dia à caça de comida. Os quatis dormem, acasalam e têm suas crias nas árvores. Quando perturbados, descem rapidamente e escapam pelo chão. Os machos vivem solitários, exceto durante o período de reprodução, enquanto as fêmeas costumam viver em bandos de até 30 indivíduos. Geralmente, ao se aproximar o período de reprodução, um único macho é aceito em um bando de várias fêmeas e acasala com todas elas. As fêmeas se separam por um período para preparar o ninho e ter as crias, depois de cinco ou seis meses voltam ao grupo com os filhotes, que com 1 mês já são capazes de escalar árvores. Vivem de 7 a 8 anos na natureza.

Baleia-jubarte ↘

Animal migratório, no inverno polar busca águas mais quentes para se reproduzir, como as do banco de Abrolhos, e retorna aos polos no verão para se alimentar. A baleia-jubarte está entre as maiores do mundo. Caracteriza-se pelas grandes nadadeiras peitorais e pela nadadeira dorsal. Sua cabeça alongada apresenta rugosidades na parte superior e próximo das mandíbulas. Seu olfato é pouco desenvolvido e os ouvidos são pequenos orifícios localizados atrás dos olhos, aptos a suportar a pressão de grandes profundidades. Entre as grandes baleias, a jubarte é uma das espécies mais acrobáticas e executa diversos saltos e movimentos. Fica agitada durante o período de acasalamento, quando os machos competem agressivamente entre si pelas fêmeas. Podem viver mais de 90 anos. A técnica utilizada para a captura de peixes é imobilizar as presas com o batimento das nadadeiras caudais e peitorais. Utilizam também a técnica da rede de bolhas.

SITUAÇÃO VULNERÁVEL SITUAÇÃO

Megaptera novaeangliae
· **Família** *Balaenopteridae*
· **Tamanho** Comprimento: de 16 a 17 m; peso: até 40 toneladas
· **Hábitat** Animal migratório presente na maioria dos oceanos
· **Reprodução** Gestação de aproximadamente 12 meses, nascendo 1 filhote por vez
· **Alimentação** Crustáceos e pequenos peixes

Entre as maiores do mundo, no inverno busca águas mais quentes, como as de Abrolhos

Boto-cinza ↘

SITUAÇÃO VULNERÁVEL SITUAÇÃO

Sotalia fluviatilis
- **Família** *Delphinidae*
- **Tamanho**
Comprimento: de 1,3 a 2,1 m; peso: de 40 a 60 kg
- **Hábitat** Ocorre em regiões costeiras, tendo preferência por áreas protegidas como baías, estuários e enseadas, mas habita também áreas abertas
- **Reprodução** Gestação de 11 a 12 meses, nascendo 1 filhote por vez
- **Alimentação**
Consome, principalmente, peixes e moluscos

Na Amazônia é chamado também de tucuxi. O boto-cinza pode ser encontrado tanto na água doce como no mar. Costuma ser confundido com filhotes ou com golfinhos flipper jovens. Animal de hábitos diurnos, vive em grupos de dois a trinta indivíduos, capazes de se movimentar em perfeita sincronia. Na natureza, salta verticalmente ou de lado e rola na superfície da água. Em cativeiro, no entanto, não realiza tais acrobacias voluntariamente. Orienta-se por ecolocalização, emitindo ultrassons e percebendo os objetos pelo retorno do eco. Possui cerca de 130 dentes e pode viver até 30 anos.

Golfinho-rotador ↘

Stenella longirostris
- **Família** *Delphinidae*
- **Tamanho**
Comprimento: de 1,9 a 2,3 m;
peso: de 55 a 78 kg
- **Hábitat** Águas oceânicas
tropicais, de preferência
em alto-mar, mas pode-se
observá-lo também na costa
- **Reprodução** Gestação
de cerca de 10 meses e
meio, nascendo apenas
1 filhote por vez
- **Alimentação** Alimenta-se
de peixes, lulas e camarões

É capaz de realizar saltos incríveis, com giros completos **sobre o eixo de seu corpo**

Verdadeiro acrobata aquático, o golfinho-rotador é capaz de realizar saltos incríveis, com giros completos sobre o eixo de seu corpo. Sua pele apresenta coloração cinza-escura na região dorsal, mais clara nas laterais do corpo e branca na barriga. Os machos costumam ser maiores que as fêmeas. Extremamente social, a espécie vive em grupos grandes, que podem ter centenas de indivíduos.

Peixe-boi-amazônico ↘

Bem menor que o peixe-boi marinho, o peixe-boi-amazônico é conhecido também como guarabá e é o único membro dos sirênios que vive exclusivamente em água doce. Caracteriza-se também por não apresentar unhas nas nadadeiras peitorais como a espécie marinha e por ter o couro mais liso e mais escuro. Aquático, vive solitário ou em pares, de mães com seus filhotes. A espécie é classificada como vulnerável à extinção, segundo o Plano de Ação para Mamíferos Aquáticos do Brasil (Ibama, 2001), principalmente por causa da caça ilegal.

SITUAÇÃO **VULNERÁVEL** **SITUAÇÃO**

É o único
membro dos
sirênios que vive
em água doce

Trichechus inunguis
· **Família** *Trichechidae*
· **Tamanho**
Comprimento: até 2 m;
peso: cerca de 300 kg
· **Hábitat** Águas com
temperatura superior a
23°C, em rios de águas
brancas e claras, onde
existe maior produção de
vegetação aquática
· **Reprodução** Gestação
de cerca de 1 ano, nascendo
1 filhote por vez
· **Alimentação** Herbívoro
podador, alimenta-se
da vegetação aquática,
de fundo flutuante e de mangue

Tapirus terrestris
- **Família** *Tapiridae*
- **Tamanho**
Comprimento: de 1,7 a 2 m; peso: de 227 a 250 kg
- **Hábitat** Mata Atlântica semidecídua, na Amazônia e no cerrado. Esta espécie é responsável pela dispersão de sementes, sendo considerada "reflorestadora"
- **Reprodução** Gestação de 335 a 439 dias, nascendo 1 filhote por vez, ocasionalmente 2
- **Alimentação** Frugívoro herbívoro, alimenta-se, principalmente, de frutas, folhas, gramíneas e brotos

SITUAÇÃO VULNERÁVEL SITUAÇÃO

Seu focinho comprido e flexível é uma tromba pequena dotada de órgãos sensoriais. Durante o dia fica escondida e sai à noite para comer. Costuma entrar na água ou na lama para livrar-se de parasitas. Vive até 35 anos.

Anta ↗

SITUAÇÃO VULNERÁVEL SITUAÇÃO

Cervo-do-pantanal ↘

Blastocerus dichotomus
- **Família** Cervidae
- **Tamanho**
Comprimento: cerca de 2 m;
peso: de 89 a 125 kg
- **Hábitat** Ocorre em
várzeas das planícies
de inundação dos
grandes rios pantaneiros
e seus tributários
- **Reprodução** Gestação
de 240 a 270 dias,
nascendo 1 filhote por vez
- **Alimentação** Frugívoro
herbívoro, alimenta-se
de brotos, capim, junco
e plantas aquáticas

Sua exuberante galhada de cinco pontas em cada haste chega a medir até 60 centímetros de altura. Sua pelagem muda de tonalidade conforme a estação, variando de marrom-avermelhado no verão a marrom-acinzentado no inverno. Animal noturno, esconde-se de dia e, à noite, sai em grupos para se alimentar. Os machos vivem solitários ou, periodicamente, com fêmeas no cio ou com filhotes; eles não lutam pela fêmea. Grandes grupos juntam-se no leito dos rios nas épocas secas. Embora o cervo possa viver até os 15 anos, ele é muito caçado pelo homem por causa de seu couro ou até mesmo por esporte. Essa conduta pôs o animal em risco de extinção, o que o obrigou a refugiar-se em áreas mais restritas.

Capivara ↘

Hydrochoerus hydrochaeris
- **Família** *Caviidae*
- **Tamanho** Comprimento: de 1 a 1,34 m; peso: de 35 a 65 kg
- **Hábitat** Semiaquático, diurno e noturno. Vive em grupos em cursos d'água permanentes em ambiente natural ou na condição de animal sinantrópico
- **Reprodução** Gestação de 140 a 160 dias, com ninhadas de 2 a 8 filhotes
- **Alimentação** Herbívoro

Maior espécie de roedor do mundo, possui dentes incisivos que chegam a ter até 8 centímetros e crescem continuamente. Dotada de membranas interdigitais nas patas, a capivara é uma excelente nadadora. Raramente afasta-se das margens de lagos e rios, para onde foge quando ameaçada. No entanto, se não consegue fugir, é capaz de lutar ferozmente e causar sérios danos a seu oponente, até mesmo em uma onça, seu maior predador. Comunica-se com outros de sua espécie por meio de uma série de sons, como relinchos e gorjeios. Em situação de perigo, emite um som agudo para alertar os companheiros.

Cutia ↘

Dasyprocta fuliginosa
- **Família** *Dasyproctidae*
- **Tamanho**
Comprimento: de 41 a
76 cm; peso: de 2,5 a 6 kg
- **Hábitat** Em florestas
perturbadas, sempre verdes,
decíduas, florestas de galeria,
jardins e plantações e em uma
grande quantidade de outros locais
- **Reprodução** Gestação
de 104 a 120 dias, nascendo
de 1 a 2 filhotes por vez
- **Alimentação** Herbívoro,
alimenta-se de brotos,
frutos e sementes

AMEAÇADO DE
EXTINÇÃO
AMEAÇADO DE

Possui uma pelagem lisa e
brilhante, suas orelhas são curtas
e as patas, compridas, sendo as
traseiras um pouco maiores que
as dianteiras, o que lhe confere a
capacidade de dar grandes saltos.
Embora seja um animal terrestre e
de hábitos basicamente diurnos,
em áreas próximas da atividade
humana não costuma deixar
a toca antes do pôr do sol. As
cutias recém-nascidas são muito
espertas, chegam ao mundo
cobertas de pelo, com os olhos
abertos e prontas para correr
já na primeira hora de vida.

SITUAÇÃO VULNERÁVEL SITUAÇÃO

Paca ↘

Agouti paca
- **Família** *Cuniculidae*
- **Tamanho**
Comprimento: de 60 a
80 cm; peso: de 5 a 13 kg
- **Hábitat** Áreas florestadas.
Animal terrestre, porém
sempre próximo a cursos de
água de pequena dimensão
- **Reprodução**
Gestação de cerca de 118
dias, nascendo 1 filhote por vez
- **Alimentação** Herbívoro,
alimenta-se de frutas,
folhas, brotos e raízes

Com patas relativamente curtas, a paca possui quatro dedos nos membros dianteiros e cinco nos traseiros. Sua pelagem é marrom na região dorsal e torna-se branca no ventre. Nas laterais do corpo, apresenta fileiras longitudinais de pintas brancas. Sua cauda é bastante reduzida e desprovida de pelo. Animal terrestre, vive em áreas florestais próximas às margens de lagos e riachos. De hábitos noturnos e solitário, passa o dia em tocas, que possuem diversas saídas, devidamente escondidas sob folhas e ramos. Boa nadadora, quando se sente ameaçada, foge para a água. Um exemplar da espécie chegou a viver 16 anos em cativeiro.

Serelepe ↘

Sciurus aestuans
- **Família** *Sciuridae*
- **Tamanho** Comprimento: de 16 a 20 cm; peso: de 150 a 220 g
- **Hábitat** Floresta Amazônica e Mata Atlântica. Essencialmente arborícola, desce das árvores para buscar alimento e enterrar sementes para depois comê-las
- **Reprodução** Gestação de cerca de 40 dias, 1 filhote
- **Alimentação** Frutas, sementes, brotos, invertebrados, ovos e pequenas aves

Também conhecido como caxinguelê ou esquilo, caracteriza-se por sua longa e peluda cauda, que tem quase o mesmo tamanho de seu corpo. Assim como acontece com a maioria dos roedores, seus dentes crescem constantemente, mas também são gastos na mesma velocidade com o tipo de alimento roído. Animal arborícola e terrestre, vive geralmente solitário ou, às vezes, em pares. Bastante ágil, ocupa todos os níveis da floresta. Dorme em troncos de árvores, onde também constrói o ninho, a vários metros de altura do solo. Desce ao chão para buscar comida e enterrar sementes.

Sylvilagus brasiliensis
- **Família** *Leporidae*
- **Tamanho**
Comprimento: de 27 a 40 cm; peso: de 0,45 a 1,2 kg
- **Hábitat** Bordas de florestas densas, banhados e margens de rios
- **Reprodução**
Gestação de 42 a 45 dias, aproximadamente, com ninhadas de 2 a 7 filhotes
- **Alimentação** Herbívoro pastador, alimenta-se principalmente de brotos e talos de vegetais variados

Único representante brasileiro dos lagomorfos, ordem de animais muito parecidos com os roedores. Animal noturno e de hábitos terrestres, habita florestas densas, podendo ser encontrado também em banhados e margens de rios. Em geral, vive solitário ou em pares. Movimenta-se saltitando e caminhando ao mesmo tempo. Quando perseguido, corre em zigue-zague para tentar despistar o inimigo.

Tapeti ↗

Gato ↘

Felis catus
- **Família** *Felidae*
- **Tamanho** Variável, de acordo com a raça
- **Reprodução** Gestação de 2 meses; com duas crias ao ano e, em média, cada uma dá de 3 a 6 filhotes
- **Alimentação** Ração e alimento especial para gatos, feito à base de peixes ou frango

Muito comum hoje nas residências, o gato antigamente tinha como função o controle de ratos. Já foi associado à feitiçaria, mas tais lendas e superstições infundadas ficaram no passado. O gato é mais individualista que o cão, mas não deixa de ser um animal dócil e carinhoso. Contudo, não abandona a vida livre, ou seja, deita-se onde quer, come o que gosta, aproveita a hospitalidade e as carícias do tutor, mas não se aproxima se não tem vontade. Além disso, não resiste a um passeio se a porta estiver aberta. Possui ótimo equilíbrio, sendo capaz de ter uma queda de até 3 metros e aterrar-se sobre as patas. Quando quer chamar a atenção ou intimidar outros animais, movimenta o dorso para cima e arrepia os pelos, parecendo ser maior do que é.

Cachorro ↘

Animal de estimação mais popular, hoje o cachorro é tratado, de fato, como um membro da família. Ele gosta de brincar, correr, explorar o ambiente, entre outras atividades. São mais de 100 raças existentes, dos mais diversos portes e cores e comportamento. Adora receber carinho, preocupa-se com o humano que cuida dele, pode viajar, dividir o sofá e "entender" tudo o que a pessoa fala e sente. O labrador e o pastor-alemão, por exemplo, são capazes de guiar e proteger pessoas com deficiência visual. Os cães vivem, em média, de 15 a 18 anos e têm o ouvido bastante desenvolvido. Eles adaptam-se à rotina do humano e devem ser tratados com carinho e responsabilidade.

Canis lupus familiaris
- **Família** Canidae
- **Tamanho**
Variável, de acordo
com a raça
- **Reprodução** Gestação
de 2 meses; o número
de filhotes depende da
raça de cada animal
- **Alimentação** Ração
e, se o veterinário indicar
por alguma necessidade
especial, alimentos frescos
também podem fazer parte
do cardápio do cão

A domesticação
dos cães data
de cerca de
15 000 anos atrás

AVES

A s aves surgiram na época em que os dinossauros dominavam o planeta, a partir de um grupo desses animais que evoluiu. Pode-se erroneamente pensar que as aves se originaram dos pterodáctilos (dinossauros alados), que possuíam a capacidade de voar, mas não foram estes os seus ascendentes diretos, e sim uma linhagem extinta de dinossauros que eram dotados de penas e que fazem parte da subclasse *Archaeornithes*, que significa aves ancestrais — são duas subclasses que compõem a classe das aves, a outra é a *Neornithes*, que quer dizer aves verdadeiras.

As hipóteses sobre esses organismos que deram origem às aves começaram em 1861, na região da Baviera, na Alemanha, onde foram descobertos restos fossilizados de um animal que apresentava características claras de réptil (boca com dentes, ossos pesados e longa cauda) e de ave (o corpo e as asas cobertos por penas). O fóssil tinha formas tão impressas na rocha que as marcas das penas, por exemplo, podiam ser observadas a olho nu. Considerado uma ave, recebeu o nome de *Archaeopteryx lithographica*, que viveu no período Jurássico em plena Era Mesozoica ou Era dos Répteis, composta de três períodos: Triássico (250 a 208 milhões de anos atrás), Jurássico (208 a 144 milhões de anos atrás) e Cretáceo (144 a 66 milhões de anos atrás). Por todo esse histórico, a *Archaeopteryx* é a ave mais primitiva de que se tem notícia.

A partir da *Archaeopteryx* (ou de uma espécie similar a esta) derivaram as aves, que foram evoluindo no decorrer do tempo. Além desta, duas espécies plumadas apresentavam arcada dentária, batizadas pelos cientistas com os nomes de *Ichthyornis* (ave dos peixes, em grego) e *Hesperornis* (ave da noite), ambas fazem parte da subclasse *Neornithes* e são do período Cretáceo. A plumagem que recobre o corpo das aves tem várias funções: permite o voo, protege do calor e do frio, pois funciona como isolante térmico, ajuda a flutuar na água e contribui para a manutenção da temperatura ideal durante a incubação dos ovos.

A classe surgiu a partir de um grupo de **dinossauros que evoluiu**

Trata-se do grupo mais observado e pesquisado. Calcula-se que 99% das espécies recentes sejam conhecidas. A classe das aves é dividida em dois grandes grupos: as ratitas e as carinatas.

O Brasil reúne mais aves do que toda a África do Sul, o Oriente e a Austrália, é o terceiro no mundo em número de espécies, atrás da Colômbia e do Peru. O país possui cerca de 1 700 espécies: encontram-se papagaios, periquitos-australianos, calopsitas, araras, agapórnis, canários, curiós, pombos, pássaros-pretos, pardais, sabiás. Vivem em pradarias, costas oceânicas e margens de rios continentais e pântanos, em campos abertos, no cerrado e nas savanas, árvores de florestas e campos, nas regiões polares e tropicais.

As margens dos rios, dos lagos e charcos servem de moradia para muitas aves nadadoras, ou mesmo para aquelas que dependem desses corpos d'água para se alimentar de peixes, por exemplo. Para as recém-nascidas e de porte pequeno, as florestas e os bosques fornecem abrigo. Nas matas tropicais quentes, as copas das árvores formam um teto de folhas e,

voando entre elas, as espécies têm a chance de apanhar frutos, sementes, brotos e insetos. São diferentes das aves de rapina, normalmente moradoras de regiões de montanhas, que caçam as presas em pleno voo com o auxílio das garras e do bico.

Duas características comuns entre as espécies são a temperatura corporal e a anatomia. As aves são homeotérmicas, o que significa que a temperatura interna permanece constante (cerca de 37,5 graus) sem variar em relação à temperatura externa. Para manter esse equilíbrio, o organismo perde muita energia. Contudo, essa perda só pode ser reduzida com um bom isolamento proporcionado pelas penas, gordura e pelos.

Ao contrário dos mamíferos, as aves não possuem olfato apurado, mas têm visão e audição agudas, que auxiliam na caça e no reconhecimento de indivíduos da mesma espécie. Por essa razão o canto e as plumagens são bem desenvolvidos. Entre as atividades instintivas das aves estão danças de acasalamento, construção de ninhos, criação de filhotes e migração.

Gavião-real ↘

Considerada a ave de rapina mais forte do Brasil, é rápida em suas investidas e capaz de abater presas grandes. Nas horas quentes do dia, costuma voar em círculos sobre florestas e campos próximos. A espécie é conhecida também por gavião-de-penacho, uiraçu-verdadeiro, cutucurim e harpia e pode viver até os 40 anos. As harpias possuem um único parceiro durante a vida e se reproduzem a cada dois anos, postando somente um ovo, no máximo dois, porém apenas um filhote sobrevive.

AMEAÇADO DE EXTINÇÃO AMEAÇADO DE

Voa alternando batidas velozes de asa com planeio e possui um **assobio longo e estridente**

Harpia harpyja
- **Família** *Accipitridae*
- **Tamanho** 50 a 90 cm
- **Hábitat** Florestas tropicais, abaixo de 900 m de altitude. Ocorre em grandes maciços de floresta e há registros de ninhos em áreas com alto grau de silvicultura
- **Reprodução** 1 ovo. Constrói o ninho em árvores altas
- **Alimentação** animais de pequeno e médio portes (mamíferos e aves)

Uiraçu-falso ↘

Morphnus guianensis
- **Família**
Accipitridae
- **Tamanho** Entre 71 e 89 cm
- **Hábitat** Florestas densas da região neotropical, encostas de montanhas, floresta costeira, até 2 200 m de altitude
- **Reprodução** 1 ovo. Constrói o ninho no alto das árvores
- **Alimentação** Outras aves, como jacus e jacamins

A fêmea desta espécie é maior que o macho. Outros nomes pelos quais a ave é conhecida: gavião-de-penacho, gavião-real e uiraçu. Constrói o ninho no alto das árvores e pode viver até os 30 anos. A alteração do hábitat é um dos principais motivos do desaparecimento da espécie. Além disso, pode-se mencionar que ataques deste rapineiro a animais de criação acabam por estimular abates, os quais, ainda que pontuais, acentuam o declínio da espécie.

SITUAÇÃO
VULNERÁVEL
SITUAÇÃO

AMEAÇADO DE EXTINÇÃO AMEAÇADO DE

Ara ararauna
- **Família** *Psittacidae*
- **Tamanho** 80 cm
- **Hábitat** Matas úmidas, na copa das árvores altas. Prefere as florestas de galeria e várzeas com buritizais e babaçuais
- **Reprodução** 2 ovos. Faz o ninho em buracos no tronco de grandes palmeiras mortas
- **Alimentação** Frutos, sementes e coquinhos

Voa em pares ou em grupos de três indivíduos, combinação mantida também quando se formam bandos maiores, de até trinta indivíduos. Desloca-se a grandes distâncias durante o dia, entre os locais de descanso e de alimentação. Migra em certas épocas do ano em busca de alimento. Faz seu ninho em buracos no tronco de grandes palmeiras mortas. Vive até 80 anos. Conhecida também por arara-de-barriga-amarela, arara-amarela, arara-azul, arara-azul-amarela, araraí (Amazônia), ararauna, arari, canindé. As araras que habitam o cerrado e o Pantanal têm quase o mesmo período reprodutivo. Em geral, a arara-azul e a canindé se reproduzem entre julho e dezembro e as vermelhas de agosto a dezembro.

Arara-canindé ↗

SITUAÇÃO **VULNERÁVEL** SITUAÇÃO

Ararajuba ↘

Guaruba guarouba
- **Família** *Psittacidae*
- **Tamanho** 34 cm
- **Hábitat** Matas de terra firme, terras baixas (abaixo de 300 m) da Bacia Amazônica, em florestas secundárias e florestas de igapó
- **Reprodução** De 2 a 3 ovos. Os ninhos são feitos em ocos de árvores ou palmeiras
- **Alimentação** Sementes e frutas

Ave graciosa e muito bela, vive em bandos de quatro a dez indivíduos. É considerada a ave-símbolo do Brasil devido às cores de sua plumagem: amarelo-ouro e verde-bandeira. No fim do século XVI era considerada muito valiosa comercialmente, o equivalente ao preço de dois escravos. Outros nomes: guaruba (do tupi: guará, que significa pássaro, e yuba, que significa amarelo), ajurujuba, arajuba, guarajuba, guira-juba, marajuba, papagaio-imperial, tanajuba. A perda de seu hábitat é uma das principais ameaças que põem em risco a sobrevivência da espécie e o tráfico de aves silvestres, outro fator que impacta significativamente na redução desses indivíduos na natureza.

Jandaia-sol ↘

Aratinga solstitialis
- **Família** *Psittacidae*
- **Tamanho** 31 cm
- **Hábitat** Manchas naturais de floresta seca, nos pés de serra, em contato com áreas abertas de savana, abaixo de 600 m de altitude
- **Reprodução** De 4 a 6 ovos
- **Alimentação** Grande variedade de sementes e frutos

AMEAÇADO DE **EXTINÇÃO** AMEAÇADO DE

Bastante barulhenta, agarra-se aos galhos utilizando o forte bico como terceiro pé. O macho está sempre ao lado da fêmea e existem registros que permanecem juntos por toda a vida. A espécie vive até 15 anos. Possui outros nomes: cara-suja (MG), jandaia, jandaia-de-testa-vermelha e periquito-de-cabeça-vermelha. Seu nome científico vem do tupi, com ará (sufixo utilizado para identificar ave, pássaro) e tinga (a cor branca), e do latim, com *solstitialis,* que significa do verão, do sol, ou seja, o pássaro do verão.

Papagaio-verdadeiro-do-sul ↘

Amazona aestiva
- **Família** *Psittacidae*
- **Tamanho** 37 cm
- **Hábitat** Floresta ombrófila mista, mata de araucária e podocarpos
- **Reprodução** De 2 a 4 ovos. Faz o ninho em troncos ocos de palmeiras e outras árvores
- **Alimentação** Frutos, grãos, sementes e folhagens

AMEAÇADO DE **EXTINÇÃO** AMEAÇADO DE

Monogâmica, esta ave vive em bandos de tamanho variável. Faz o ninho em troncos ocos de palmeiras e outras árvores. Distingue-se pela cabeça amarela, com azul-esverdeado na fronte e bochecha, narinas escuras, ombros vermelhos com amarelo, asa com parte vermelha e extremos azul-escuros. O período de reprodução é de setembro a março, os filhotes permanecem no ninho por cerca de dois meses e atingem a idade adulta aos 5 anos. Sua longevidade é de aproximadamente 80 anos.

AMEAÇADO DE **EXTINÇÃO** AMEAÇADO DE

Periquito-da-campina ↘

Brotogeris versicolurus
- **Família** *Psittacidae*
- **Tamanho** 21,5 cm
- **Hábitat** Tipicamente florestal, observado no dossel ou interior da mata, em áreas abertas e bordas florestais
- **Reprodução** 1 ou 2 ovos
- **Alimentação** Frutas e sementes

Vive em bandos grandes, de 100 indivíduos ou mais, ou em pares, migrando regionalmente entre os afluentes e ilhas do Rio Amazonas. Descansa às centenas em uma mesma árvore. Em certas épocas do ano, aparece em Belém do Pará em busca de mangas e de sementes da sumaumeira, abundantes nas ruas da cidade. A espécie vive até os 20 anos. Outros nomes: periquito-de-asa-branca, periquito-de-asa-amarela (AP), periquito-de-asas-amarelas, periquito-das-ilhas e periquito-estrela (AM).

São encontrados **às centenas** numa mesma árvore

Pyrrhura roseifrons
- **Família** *Psittacidae*
- **Tamanho** 22 cm
- **Hábitat** Mata Atlântica de baixada até 600 m de altitude, bordas de mata e clareiras adjacentes à floresta
- **Reprodução** De 9 a 10 ovos
- **Alimentação** Folhas e frutos

SITUAÇÃO VULNERÁVEL SITUAÇÃO

Encontrada em pequenos grupos, apresenta na testa uma coroa com coloração característica vermelho-rosada, que às vezes forma um capuz vermelho até a região dos olhos, onde a cor se torna mais intensa. Habita áreas de floresta abaixo de 1 500 metros em planícies e colinas da Amazônia. É comum a formação de bandos para consumir argila nas barrancas dos rios amazônicos. Pode viver aproximadamente 30 anos.

Tiriba-de-cabeça-vermelha ↗

SITUAÇÃO VULNERÁVEL SITUAÇÃO

Ramphastos dicolorus
- **Família** *Ramphastidae*
- **Tamanho** 48 cm
- **Hábitat** Áreas florestadas, do litoral até as zonas montanhosas, florestas de planalto, florestas altas, em áreas montanhosas da Mata Atlântica, no seu interior e nas bordas
- **Reprodução** De 2 a 4 ovos. Faz o ninho em buracos de árvores
- **Alimentação** Frutos de palmitos, ovos e filhotes de outras aves

Está ameaçado devido à degradação de seu hábitat. Este tucano vive em grupos pequenos, de cerca de seis indivíduos. Seu ninho é feito no buraco de árvores. Pode viver aproximadamente 40 anos. É também conhecido por tucano-de-peito-amarelo.

Tucano-de-bico-verde ↗

AMEAÇADO DE
EXTINÇÃO
AMEAÇADO DE

Anambé-pombo ↘

Gymnoderus foetidus
- **Família** Cotingidae
- **Tamanho** Machos de 34 a 36 cm. Fêmeas, 30 cm
- **Hábitat** Interior de matas de várzea e de terra firme
- **Reprodução** 1 ovo. Constrói o ninho nos galhos das árvores
- **Alimentação** Basicamente frutas

Vive em grupos de até vinte indivíduos. Constrói seu ninho nos galhos das árvores. Faz um ninho achatado, semelhante a um pires, em ramos horizontais. A fêmea cuida dos filhotes sozinha. Busca os frutos nas copas das árvores nas florestas úmidas e este pássaro já foi observado capturando cupins e formigas aladas em revoadas a partir de poleiros expostos no dossel. Vive de 5 a 10 anos.

SITUAÇÃO VULNERÁVEL SITUAÇÃO

Azulão ↘

Cyanoloxia brissonii
- **Família** *Cardinalidae*
- **Tamanho** 15 cm
- **Hábitat** Bordas de pântanos, matas secundárias e plantações
- **Reprodução** De 2 a 3 ovos. Constrói o ninho a pouca altura do solo
- **Alimentação** Grãos e sementes

Não é muito social e normalmente é visto sozinho em matas ciliares e campinas. Seu canto divide-se em dois principais tipos: canto normal e surdina. Vive de 5 a 20 anos. Outros nomes: azulão-bicudo, azulão-do-nordeste, azulão-do-sul, azulão-verdadeiro, guarandi-azul (Nordeste), gurundi-azul, tiatã (SP) e reina-moura. O macho é totalmente azul-escuro, com partes azuis e brilhantes. A fêmea e os filhotes são totalmente pardos, com as partes inferiores um pouco mais claras.

AMEAÇADO DE EXTINÇÃO AMEAÇADO DE

Sporophila maximiliani
- **Família** *Thraupidae*
- **Tamanho** 15 cm
- **Hábitat** Espécie florestal rara, vive em pares bastante espalhados e prefere regiões de clima quente, com temperatura acima de 25°C
- **Reprodução** De 2 a 3 ovos. O ninho é feito em forma de taça
- **Alimentação** Grãos e sementes

Um dos pássaros canoros mais apreciados do Brasil, em muitos locais suas populações encontram-se afetadas devido à captura ilegal para criação em cativeiro. Está em extinção devido à caça predatória. Vive até 30 anos e seu ninho é feito em forma de taça. Outros nomes: bicudo-verdadeiro, bicudo-preto, bicudo-do-norte (SP). Aprecia os campos de arroz, o que influencia muito em seu desaparecimento, consequência da ingestão de agrotóxicos.

Bicudo ↗

AMEAÇADO DE
EXTINÇÃO
AMEAÇADO DE

Coleirinho ↗

Sporophila caerulescens
- **Família** *Thraupidae*
- **Tamanho** 11 cm
- **Hábitat** Campos abertos de pastagem de gramíneas e braquiárias. Trata-se de uma ave migratória, que se desloca para latitudes mais baixas nos meses mais frios
- **Reprodução** De 2 a 3 ovos. O ninho é em formato de taça
- **Alimentação** Grãos e sementes

Seu canto tem bastante variação individual e regional (dialetos) no gênero *Sporophila,* é melodioso e muito agradável. É um pássaro territorialista e quando está chocando demarca uma área geográfica em torno do ninho, na qual o casal não admite a presença nem de outras aves da espécie. Outros nomes: coleira-da-mata, coleirinha-dupla, coleiro, coleiro-do-brejo, coleiro-virado, papa-capim, papa-capim-de-peito-amarelo, paulista e tiã-tiã. Os filhotes abandonam o ninho após 13 dias de vida e, com 35 dias, já estão aptos a comer sozinhos, atingindo a maturidade sexual logo no primeiro ano de vida. Podem viver em média de 10 a 12 anos.

SITUAÇÃO
VULNERÁVEL
SITUAÇÃO

Corrupião ↘

Icterus jamacaii
- **Família** *Icteridae*
- **Tamanho** 23 cm
- **Hábitat** Áreas da caatinga
e zonas secas abertas, onde
pousa em cactáceas e em
bordas de florestas e clareiras
- **Reprodução** De 2 a 3 ovos
- **Alimentação** Frutas,
brotos, folhas enroladas e flores

**Gosta de pousar sobre altas
cactáceas.** Existem no Brasil duas
variedades desta ave: o sofrê ou concriz
(jamacaii), com a plumagem laranja e
áreas pretas na cabeça, garganta, cauda
e asas. Em cada asa destaca-se uma
discreta faixa branca. A outra variedade
é o joão-pinto ou rouxinol *(croconotus)*
e tem as costas e o alto da cabeça
laranja. Pode viver de 15 a 20 anos.
Outros nomes: concriz (PE), guiraúna,
joão-pinto (MT), rouxinol (Amazônia),
sofrê (BA), tatoira. Trata-se de uma das
aves mais lindas e com a vocalização
mais melodiosa deste continente.

Curió ↘

AMEAÇADO DE
EXTINÇÃO
AMEAÇADO DE

Sporophila angolensis
- **Família** *Thraupidae*
- **Tamanho** 13 cm
- **Hábitat** Comum em capoeiras arbustivas, clareiras com gramíneas, arbustos nas bordas de florestas altas e pântanos, penetrando também nas florestas
- **Reprodução** 2 ovos. Faz um ninho de paredes finas, em formato de xícara
- **Alimentação** Sementes

"Amigo do homem", em linguagem indígena, o curió é o pássaro canoro mais apreciado do Brasil. É comum encontrá-lo em cativeiro, prática ilegal quando é capturado na natureza. Vive separado de outras espécies, embora às vezes possa misturar-se a bandos de *Sporophila* e tizios. Vive 30 anos. Outros nomes: avinhado (SP), bico-de-furo, bicudo, curió-pardo, papa-arroz (Amazônia) e peito-roxo (PA). Muito procurado como pássaro de gaiola, esta é considerada a principal ameaça e causa de seu desaparecimento.

Paroaria capitata
- **Família** *Thraupidae*
- **Tamanho** 17 cm
- **Hábitat** Ocorre em bandos maciços. Vive nos pântanos, margens de rios e campos abertos
- **Reprodução** de 2 a 3 ovos. Constrói ninhos resistentes
- **Alimentação** Sementes e insetos

AMEAÇADO DE **EXTINÇÃO** AMEAÇADO DE

Típico do interior do Nordeste brasileiro, este pássaro pode viver de 15 a 20 anos. Constrói ninhos resistentes. Outros nomes: cabeça-vermelha, cardeal-do-nordeste, cardial e galo-de-campina (Nordeste). É uma das espécies mais visadas pelo comércio ilegal de aves silvestres.

Galo-da-campina ↗

SITUAÇÃO VULNERÁVEL SITUAÇÃO

Sporophila leucoptera
- **Família** *Thraupidae*
- **Tamanho** 12,5 cm
- **Hábitat** Áreas de gramíneas com arbustos e emaranhados de vegetação perto da água, regiões pantanosas e margens de rios e lagos
- **Reprodução** 2 a 3 ovos. O ninho é construído nos arbustos, em forma de taça
- **Alimentação** Grãos retirados de sementes de capim-tiririca

Possui um canto considerado triste, daí a origem de seu nome. Seu ninho é construído nos arbustos, em forma de taça. Vive sozinho ou aos pares e tem longevidade de 15 a 20 anos. Outros nomes: bico-vermelho (ES), boiadeiro (MG), chorão, cigarra e papa-capim-do-bico-vermelho. A parte característica do canto é um assovio melancólico ascendente, repetido sem pressa.

Patativa-chorona ↗

Iratauá-grande ↘

Gymnomystax mexicanus
- **Família** *Icteridae*
- **Tamanho** O macho mede 31 cm e a fêmea, 27 cm
- **Hábitat** Campos úmidos com árvores esparsas, praias lodosas, florestas de galeria, vegetação à beira de rios e em ilhas fluviais
- **Reprodução** De 3 a 4 ovos
- **Alimentação** Frutas, aranhas, lagartas, mariposas e moluscos

Vive aos pares ou em grupos espalhados e ocasionalmente é visto também solitário, sendo de fácil observação. Tem o costume de andar no solo de pastagens, onde remexe estrume de gado e também em beiras de rio. Pousa em locais abertos de arbustos e árvores baixas. Faz ninho na forma de uma cesta, em forquilhas ou penachos de palmeiras. Vive até 14 anos. Outros nomes: arataiá, corrupião, garrupião, iratauá, uirá-tauá.

SITUAÇÃO **VULNERÁVEL** SITUAÇÃO

AMEAÇADO DE
EXTINÇÃO
AMEAÇADO DE

Pyroderus scutatus
- **Família** *Cotingidae*
- **Tamanho** O macho mede 46 cm e a fêmea, 39 cm
- **Hábitat** O interior e as bordas de florestas altas, especialmente em regiões montanhosas
- **Reprodução** 2 ovos
- **Alimentação** Frutas e insetos

Pavó ↗

Vive solitário, mas durante o período reprodutivo reúne-se em grupos de até dez indivíduos, havendo exibição do papo e vocalizações. Faz o ninho pequeno e frágil, em uma plataforma de gravetos. Está ameaçado de extinção. Vive cerca de 15 anos. Outros nomes: pavão-do-mato, pavão, pavoa. Sua vocalização é de sonoridade das mais graves da avifauna brasileira, lembrando o som que se produz ao se assoprar dentro de uma garrafa.

Pintassilgo↘

AMEAÇADO DE **EXTINÇÃO** AMEAÇADO DE

Spinus magellanicus
- **Família** *Fringillidae*
- **Tamanho** Entre 10 e 11 cm
- **Hábitat** Mata secundária aberta, árvores em plantações e quintais, pinhais e floresta de cerrado
- **Reprodução** De 3 a 5 ovos
- **Alimentação** Ervas, sementes e insetos

Seu canto é repleto de variações melódicas e muito rápido, podendo durar até cinco minutos sem pausas. Os ninhos são feitos de grama, casca de árvores e talos e forrados com penugem. Vive de 15 a 20 anos. Outros nomes: coroinha, pintassilgo-de-cabeça-preta, pintassilgo-mineiro, pintassilva-do-campo e pintassilva. Além de ser uma presa natural de falcões, essa ave canora tornou-se um pássaro raro, que sofre intensa perseguição do comércio clandestino de aves silvestres.

75

Urubu-rei ↗

Voa alto, raramente em grupos. Destaca-se dos outros urubus pelo desenho branco e preto da asa e pela cauda muito curta. É chamado de urubu-rei devido ao respeito que impõe aos outros urubus americanos (como o urubu-negro, o urubu-de-cabeça-amarela e o condor). Essas aves nunca disputam alimento com o

SITUAÇÃO VULNERÁVEL SITUAÇÃO

urubu-rei; esperam respeitosamente que ele se satisfaça, para então comer o que sobrar. Está ameaçado devido à destruição de seu hábitat. Pode viver entre 10 e 15 anos. Outros nomes: corvo-branco, urubu-real, urubu-branco, urubutinga, urubu-rubixá e iriburubixá.

Sarcoramphus papa
· **Família** *Cathartidae*
· **Tamanho** 78 cm
· **Hábitat** Ave diurna, pousa nas árvores mais altas da mata, onde costuma dormir
· **Reprodução** 2 ovos. Faz o ninho nos buracos de troncos, em florestas úmidas
· **Alimentação** Carne em putrefação

SITUAÇÃO
VULNERÁVEL
SITUAÇÃO

Sabiá ↘

Turdus leucomelas
- **Família** *Turdidae*
- **Tamanho** 25 cm
- **Hábitat** Comum de matas ciliares, matas de galeria, matas secas, cambarazais e cerradões
- **Reprodução** De 3 a 4 ovos
- **Alimentação** Coquinhos de várias espécies de palmeiras e de espécies introduzidas, como o dendê

Com o costume de pular no chão, vive solitário ou aos pares. Em regiões mais secas é, de certa forma, restrito a áreas próximas à água. Após se alimentar de coquinhos, o sabiá cospe os caroços, contribuindo, assim, para a dispersão das palmeiras. Faz o ninho com gravetos, fibras vegetais e barro. A construção pode se tornar complexa em certas ocasiões, quando o local escolhido é formado por vãos entre numerosos suportes iguais aos de um telhado, o sabiá-laranjeira pode construir vários ninhos ao mesmo tempo, por confundir os vãos.

AMEAÇADO DE **EXTINÇÃO** AMEAÇADO DE

Trinca-ferro ↘

Saltator similis
- **Família** *Thraupidae*
- **Tamanho** 20 cm
- **Hábitat** Em capoeiras, bordas de florestas e clareiras, tanto em regiões de baixadas como em montanhas
- **Reprodução** De 2 a 3 ovos. O ninho é em forma de taça
- **Alimentação** Frutas e insetos

Canta com frequência e vive aos pares. Um pouco menor do que outras espécies do mesmo gênero, possui o mesmo bico negro e forte que originou o nome comum dessas aves. Seu canto varia um pouco de região a região, embora mantenha o mesmo timbre. É fácil de ser avistado em árvores frutíferas. Vive de 15 a 20 anos. Outros nomes: bico-de-ferro, bom-dia-seu-chico (SP), esteves (BA), joão-velho, matia, pixarro, pixororém, tempera-viola, tico-tico-açu, tico-tico-do-mato (SP), tico-tico-guloso, trinca-ferro-de-asa-verde e trinca-ferro-verdadeiro.

Possui um bico negro e forte,
que originou seu nome

Murucututu ↘

Pulsatrix perspicillata
- **Família** *Strigidae*
- **Tamanho** 48 cm
- **Hábitat** Comum em florestas altas, capoeiras e florestas de galeria
- **Reprodução** 2 ovos. Faz o ninho em buracos de árvores
- **Alimentação** Pequenos mamíferos (como ratos), insetos, lagartas, morcegos, caranguejos e sapos

Ativo principalmente à noite, pode ser visto também em dias nublados. Sua plumagem é marrom e muito densa. O ventre é amarelado e seu peito apresenta uma faixa transversal escura. Seu canto é acelerado e se enfraquece gradativamente. A sonoridade do canto lembra o seu nome. Vive até 25 anos. Outros nomes: corujão, coruja-do-mato, mocho-mateiro, coruja-batuqueira, coruja-de-garganta-preta e murucututu-cara-branca. O canto é uma série rápida de seis a nove notas graves, roucas, com início abrupto, "bu bu bu bu bu bu", que se tornam mais fracas e mais graves no final.

SITUAÇÃO **VULNERÁVEL** SITUAÇÃO

Vive até **25 anos**

PEIXES

Ao considerar as evidências da deriva continental — teoria sobre a deslocação de massas continentais na superfície da terra —, é possível compreender como e quando surgiram os primeiros registros de seres aquáticos, há mais de 440 milhões de anos. Essa evolução conta com três períodos: o Ordoviciano, conhecido pela presença de diversos invertebrados marinhos, animais que ainda não possuíam dentes nem nadadeiras. Os primeiros peixes cartilaginosos surgiram há aproximadamente 430 milhões de anos, expandindo-se no período Siluriano, junto com os recifes de corais. Nessa época, eles eram dotados de mandíbulas, e grande parte concentrava-se nos oceanos. O terceiro período é chamado de Devoniano, quando surgiram os mais famosos predadores dos mares: os tubarões. Além deles, apareceram os primeiros peixes com esqueleto ósseo.

Assim, os peixes foram evoluindo e multiplicando-se em milhares de espécies. Animais vertebrados aquáticos, com todas as suas funções vitais realizadas na água, são ectotérmicos, ou seja, não têm capacidade para regular sua temperatura interna, que é a mesma da água onde vivem.

Os peixes dividem-se entre ósseos (osteíctes) e cartilaginosos (condrictes). O corpo coberto por escamas é uma das principais características desses vertebrados. Existem também os peixes de couro e outros com a pele coberta por escudos ósseos. Os ciclos de vida são complexos, com estratégias peculiares de reprodução, comportamento específico para cada espécie e uma grande importância ecológica e econômica.

A respiração dos peixes ocorre a partir de estruturas pares ao lado da faringe, os arcos braquiais, que sustentam pequenas lâminas por onde acontecem as trocas gasosas. Essas pequenas lâminas são irrigadas pelo sangue, que absorve o oxigênio contido na água. Estão sempre localizadas no corpo do animal de modo a ter o máximo contato com a água e, ao mesmo tempo, ficar protegidas.

Ao longo do corpo dos peixes e de

A classe mais antiga e diversificada entre os vertebrados

ambos os lados existe a linha lateral. Este órgão sensorial, situado sob as escamas, possui um canal de comunicação com o meio externo e é internamente ligado ao sistema nervoso. Possui diversas funções, sempre relacionadas aos sentidos, como detectar os movimentos e vibrações na água, auxiliando na locomoção em ambientes de pouca visibilidade e com obstáculos, permitir mudanças de direção sincrônica aos peixes que nadam em cardumes, ou detectar movimentos tanto de predadores como de presas.

Com relação às nadadeiras, elas podem ser pares (peitorais e pélvicas) e ímpares (dorsal, adiposa, caudal e anal). As formas e a posição estão relacionadas ao formato do corpo do peixe e podem exprimir suas importantes características ecológicas e biológicas. O principal órgão propulsor na natação é constituído pela coluna vertebral, com uma grande nadadeira muscular na extremidade.

Os peixes ósseos possuem uma grande bolsa interna sob a coluna vertebral chamada de bexiga natatória. Essa estrutura armazena ar, permitindo ao peixe regular sua flutuabilidade em diferentes profundidades.

No que se refere à alimentação, os peixes podem ser carnívoros, herbívoros ou onívoros. Piranhas, traíras e bagres, por exemplo, são carnívoros e se alimentam de outros animais, como peixes menores e minhocas. A tainha é um peixe herbívoro e só come algas do fitoplâncton. Os cascudos são peixes que vivem no bento (fundo do corpo d'água) e raspam as algas das rochas e do solo. A excreção dos peixes é realizada pelos rins e por uma pseudobexiga que se abre na parte posterior do intestino, próximo do ânus. O sistema reprodutor é composto de gônadas, órgãos pares que produzem as células reprodutoras. A fecundação, em sua maioria, é externa, em que o macho espalha o sêmen sobre os óvulos desovados pela fêmea para fecundá-los. Alguns peixes acasalam e, desse modo, a fecundação é interna.

Apesar da variedade de espécies existentes no planeta, alguns peixes estão ameaçados de extinção devido à degradação do meio ambiente e à pesca predatória sem controle.

AMEAÇADO DE EXTINÇÃO AMEAÇADO DE

Acará-bandeira ↘

Pterophyllum scalare
- **Família** *Cichlidae*
- **Tamanho** Máximo de 12 cm
- **Hábitat** Rios e córregos lentos em meio à densa vegetação aquática, com grande quantidade de raízes e troncos
- **Reprodução** Ovípara. O casal cuida dos ovos e dos filhotes
- **Alimentação** Onívora, preferencialmente invertebrados

Um peixe muito popular por causa de sua forma e também por conta da sua interessante personalidade, pacífica. Costuma ser muito curioso, podendo se tornar territorial especialmente durante a época de reprodução. É encontrado em muitas variedades de cor, como marmorato, albino, negro, ouro, palhaço, zebra, half-black, pérola, entre outras. Possui nadadeiras em véu.

Apisto-cacatua ↘

Apistogramma cacatuoides
- **Família** Cichlidae
- **Tamanho** Até 10 cm
- **Hábitat** Águas lentas de afluentes, lagoas e riachos em meio à densa vegetação
- **Reprodução** Ovípara. A desova é feita em locais protegidos, como cavernas. Geralmente, a fêmea é quem cuida dos ovos e dos filhotes enquanto o macho protege o território
- **Alimentação** Onívora

SITUAÇÃO **VULNERÁVEL** SITUAÇÃO

Existem diversas variedades deste peixe, e a característica principal é uma faixa negra ao longo do corpo, mesclada com as cores amarelo, vermelho e laranja. A fêmea é normalmente menor e menos vistosa que o macho, e os raios da barbatana dorsal são longos.

AMEAÇADO DE EXTINÇÃO AMEAÇADO DE

Parachromis managuensis
- **Família** *Cichlidae*
- **Tamanho** Até 40 cm
- **Hábitat** Ambiente sombreado de lagos de águas turvas com substrato arenoso até córregos e lagoas de águas mais claras
- **Reprodução** Ovípara, com o casal cuidando dos ovos e da cria
- **Alimentação** Pequenos peixes, camarões e invertebrados

Extremamente territorial, normalmente apresenta uma faixa escura ao longo do corpo, mas a coloração e os tipos de manchas variam de acordo com a espécie. Possui corpo alongado e boca grande. Ocorre naturalmente em água ácida de rios, remansos de rio, lagoas e represas, sempre próximos a estruturas como raízes e pedras. É um predador por natureza com comportamento territorialista.

Jaguar ↗

Tucunaré ↘

Cichla ocellaris
- **Família** *Cichlidae*
- **Tamanho** De 30 cm a mais de 1 m
- **Hábitat** Lagoas marginais e igapó durante as cheias. Na ausência de lagos, o tucunaré abriga-se em remansos
- **Reprodução** Ovípara. Na época da desova, o macho apresenta uma protuberância de cor escura entre a cabeça e a nadadeira dorsal, que desaparece logo após a fêmea desovar. Cada fêmea pode ovular duas ou mais vezes durante o período de reprodução e deposita os ovos em uma superfície firme
- **Alimentação** Peixes e camarões. É a única espécie de peixes da Amazônia que persegue a presa e não desiste até conseguir capturá-la

AMEAÇADO DE **EXTINÇÃO** AMEAÇADO DE

Peixe de escamas, corpo alongado e um pouco comprimido. Existem pelo menos catorze espécies de tucunaré na Amazônia, sendo cinco descritas: *Cichla ocellaris, C. temensis, C. monoculus, C. orinocensis* e *C. intermedia.* O colorido (amarelado, esverdeado, avermelhado, azulado, quase preto) e a forma e o número de manchas (grandes, pretas e verticais, pintas brancas distribuídas regularmente pelo corpo e pelas nadadeiras) variam bastante de espécie para espécie, porém todos os tucunarés apresentam uma mancha redonda (ocelo) no pedúnculo caudal.

87

Potamotrygon leopoldi
- **Família**
Potamotrygonidae
- **Tamanho** Até 50 cm
- **Hábitat** Águas costeiras da plataforma continental, em fundos inconsolidados, sendo comum entre 20 e 220 m de profundidade
- **Reprodução** Vivípara
- **Alimentação** Invertebrados e peixes

AMEAÇADO DE **EXTINÇÃO** AMEAÇADO DE

Extremamente sensível, apresenta círculos brancos por todo o corpo. Qualquer alteração de seu meio ambiente ou poluição podem afetá-la.

Arraia-preta ↗

Aruanã ↘

Osteoglossum bicirrhosum
- **Família** *Osteoglossidae*
- **Tamanho** 2,5 kg e 1 m
- **Hábitat** Próximo
da superfície da água,
em meio a raízes e
vegetação, à espera de
uma presa em potencial
- **Reprodução** Ovípara.
A incubação é bucal
- **Alimentação** Piscívora

Esta espécie, agressiva, pode comer peixes menores. Possui escamas, corpo muito alongado e comprimido, boca enorme, língua óssea e áspera, barbilhões na ponta do queixo, escamas grandes e coloração branca. Consome diversos tipos de alimentos (omnívoros) com tendência a se alimentar na superfície. A posição superior da boca permite capturar presas que nadam abaixo. Também salta para fora d'água para comer insetos.

Bagre ↘

Pimelodus pictus
- **Família** *Pimelodidae*
- **Tamanho** De 20 a 50 cm, dependendo da espécie
- **Hábitat** Ocorre em águas rasas sobre substrato arenoso ou lamacento
- **Reprodução** Ovípara. Realiza migrações de desova
- **Alimentação** Onívora. Consome peixes, invertebrados, frutos, sementes e detritos

Existem várias espécies de *Pimelodus*, um peixe de couro, embora a forma do corpo seja bastante parecida: alta no início da nadadeira dorsal e afunilando-se em direção à cabeça e à nadadeira caudal. Uma característica comum do gênero é a presença de um espinho (acúleo) forte e agudo nas nadadeiras dorsal e peitorais. A coloração também varia com a espécie.

Pseudoplatystoma fasciatum
- **Família** *Pimelodidae*
- **Tamanho**
Alcança mais de 1 m
- **Hábitat** Locais variados, como poços no canal dos rios, baixios de praias, lagos e matas inundadas
- **Reprodução** Ovípara, realiza migração reprodutiva
- **Alimentação** É uma espécie piscívora, com preferência para peixes de escamas, mas, em algumas regiões, camarão também é importante na dieta

Peixe de couro, corpo alongado e roliço, cabeça grande e achatada. A coloração é cinza-escura no dorso, clareando em direção ao ventre, sendo branca abaixo da linha lateral. Às vezes, apresenta algumas manchas arredondadas ou alongadas no final das faixas. A reprodução ocorre nas cabeceiras dos rios, após longa migração rio acima, entre dezembro e fevereiro. É uma espécie predadora que se alimenta de qualquer peixe.

Cachara ↗

Cachapira ↘

Pseudoplatystoma fasciatum
- **Família** *Pimelodidae*
- **Tamanho** Até 1 m
- **Hábitat** Poços no canal dos rios, baixios de praias, lagos e matas inundadas
- **Reprodução** Híbrido estéril
- **Alimentação** Piscívora

Apresenta corpo alongado e roliço, de cabeça grande e um pouco achatada. Tem o dorso acinzentado com manchas pretas, faixas verticais com pintas na parte ventral, o ventre branco e a cauda avermelhada. É um melhoramento genético, um híbrido do cruzamento de uma cachara com uma pirarara.

É um híbrido do cruzamento **de cachara com pirarara**

Cascudo ↘

SITUAÇÃO
VULNERÁVEL
SITUAÇÃO

Hypostomus sp.
- **Família** *Loricariidae*
- **Tamanho** 30 cm
- **Hábitat** Rios pequenos, com água limpa, corrente moderada a forte em meio ao substrato rochoso e arenoso
- **Reprodução** Ovípara. Coloca os ovos em superfícies lisas, como pedras. A prole recebe cuidados do pai
- **Alimentação** Algas

Seu revestimento ósseo dorsal protege o peixe do ataque de predadores. Outro mecanismo de defesa são os acúleos (ferrões) nas nadadeiras dorsal e anal, formados por uma espinha dura. Para se alimentar, a boca do cascudo funciona como uma ventosa, que lhe permite aderir aos objetos enquanto raspa o alimento com os dentes. Entre as espécies existentes estão *Hypostomus sp.*, *Ancistrus sp.* e *Peckoltia sp.*

Dourado ↘

Peixe de escamas, as duas espécies (*S. brasiliensis* e *S. maxillosus*) são bastante semelhantes. A primeira, além de ser maior, apresenta uma coloração dourada com reflexos avermelhados; a segundo é dourada com as nadadeiras alaranjadas. Cada escama apresenta um filete negro no centro, formando riscas longitudinais da cabeça à cauda, do dorso até abaixo da linha lateral. Ocorre em águas rápidas, corredeiras e cachoeiras, assim como as margens de barrancos, bocas de corixos e galhadas no meio dos rios.

Salminus maxillosus /
Salminus brasilliensis
- **Família** *Characidae*
- **Tamanho** Até 1 m
- **Hábitat** Águas rápidas, corredeiras, assim como margens de barrancos, bocas de corixos e galhadas no meio dos rios
- **Reprodução** Ovípara. Realiza longas migrações reprodutivas
- **Alimentação** Predador voraz, alimenta-se de pequenos peixes nas corredeiras e na boca das lagoas, principalmente durante a vazante, quando os outros peixes migram para o canal principal

AMEAÇADO DE **EXTINÇÃO** AMEAÇADO DE

Vive em águas rápidas como **cachoeiras e corredeiras**

SITUAÇÃO
VULNERÁVEL
SITUAÇÃO

Astyanax spp.
- **Família** *Characidae*
- **Tamanho** Raramente ultrapassa 20 cm
- **Hábitat** Rios, riachos com correnteza lenta, lagoas e represas, mesmo onde há ocupação humana
- **Reprodução** Ovípara. A prole não recebe cuidados dos pais
- **Alimentação** Espécie onívora, alimenta-se de vegetais e animais (flores, frutos, sementes, insetos, crustáceos, algas e detritos)

De pequeno porte, é um peixe de escamas, de corpo alongado e um pouco comprimido. A coloração é bastante variada, com algumas espécies muito coloridas.

Lambari ↗

Piracanjuba ↘

AMEAÇADO DE EXTINÇÃO AMEAÇADO DE

Brycon orbignyanus
- **Família** *Characidae*
- **Tamanho** Até 1 m
- **Hábitat** Águas claras, canais de rios próximos às margens, em corredeiras e em locais onde as árvores costumam se deitar
- **Reprodução** Ovípara
- **Alimentação** Espécie herbívora, alimenta-se de frutos, sementes, flores e folhas

Seu corpo é fusiforme e de coloração prateada com reflexos esverdeados e nadadeiras vermelhas. Trata-se de um peixe de escamas. É um peixe migratório e de grande valor econômico, facilmente encontrado nos leitos dos rios dos estados brasileiros Mato Grosso do Sul, São Paulo, Minas Gerais, Paraná e principalmente Goiás. Costuma habitar rios de águas claras, onde ela é bastante oxigenada.

Matrinxã ↘

AMEAÇADO DE EXTINÇÃO AMEAÇADO DE

Brycon gouldingi
- **Família** *Characidae*
- **Tamanho** 80 cm
- **Hábitat** Canais de igarapé na Amazônia, em águas de corrente lenta, limpa e mais fria
- **Reprodução** Ovípara. Realiza migrações reprodutivas e tróficas
- **Alimentação** Onívora. Alimenta-se de frutos, sementes, flores, insetos e ocasionalmente de pequenos peixes

De coloração prateada, é um peixe de escamas, com corpo alongado, um pouco alto e comprimido. Suas nadadeiras são alaranjadas, e a nadadeira caudal é escura. Apresenta uma mancha arredondada escura na região umeral. Os dentes são multicuspidados dispostos em várias fileiras na maxila superior.

Pacu ↘

Piaractus mesopotamicus
- **Família** *Characidae*
- **Tamanho** Até 50 cm
- **Hábitat** Ao longo da lama e sedimentos em rios e lagos
- **Reprodução** Ovípara
- **Alimentação** Espécie onívora, com tendência a herbívora. Alimenta-se de frutos, sementes, folhas, algas e mais raramente de peixes, crustáceos e moluscos

AMEAÇADO DE **EXTINÇÃO** AMEAÇADO DE

Peixe de escamas, com corpo romboidal e comprimido. A coloração é uniforme, castanho ou cinza-escuro, e o ventre é mais claro, amarelado. Os dentes são molariformes. Além de ser considerado um peixe bastante esportivo, tem grande importância econômica por ser muito apreciado para consumo.

AMEAÇADO DE
EXTINÇÃO
AMEAÇADO DE

Piranha-vermelha ↘

Pygocentrus nattereri
- **Família** *Characidae*
- **Tamanho** Até 30 cm
- **Hábitat** Diversos ambientes, desde água branca até água negra, riachos, lagoas e rios médios
- **Reprodução** Ovípara. Os pais cuidam dos ovos e dos filhotes
- **Alimentação** Piscívora

Com corpo romboide e comprimido, é um peixe de escamas, com focinho curto, arredondado, mandíbula saliente e dentes afiados. Entre todas as piranhas, esta é a mais comum e a que possui o focinho mais rombudo. A coloração é cinza no dorso e avermelhada no ventre e na região inferior da cabeça; as nadadeiras peitoral, ventral e anal são alaranjadas. Por formar grandes cardumes, pode ser perigosa em determinadas situações.

Tambaqui ↘

Colossoma macropomum
- **Família** *Characidae*
- **Tamanho** 90 cm
- **Hábitat** Florestas inundadas e águas escuras de planícies de inundação
- **Reprodução** Ovípara. Realiza migrações reprodutivas, tróficas e de dispersão. Desova no período de seca, em rios de águas barrentas
- **Alimentação** Durante a cheia, alimenta-se de frutos e sementes nas matas inundadas e, na seca, enquanto os jovens ficam nos lagos de várzea consumindo zooplâncton, os adultos migram para os rios de águas barrentas para desovar, quando não se alimentam

SITUAÇÃO
VULNERÁVEL
SITUAÇÃO

Peixe de escamas, corpo romboidal, nadadeira adiposa curta com raios na extremidade, dentes molariformes e rastros branquiais longos e numerosos. A coloração geralmente é parda na metade superior e preta na metade inferior do corpo, mas pode variar para mais clara ou mais escura, dependendo da cor da água.

AMEAÇADO DE **EXTINÇÃO** AMEAÇADO DE

Tetra-rosáceo ↘

Hyphessobrycon erythrostigma
- **Família** *Characidae*
- **Tamanho** 7 cm
- **Hábitat** Ambiente lêntico, águas negras com pH bastante ácido (4 a 5) e com baixo teor de minerais
- **Reprodução** Ovípara
- **Alimentação** Onívora

Peixe de tonalidade vermelha em todo o corpo, uma mancha vermelho-escura no meio, barbatana dorsal longa e flutuante no macho, principalmente preta e vermelha na base, e arredondada na fêmea, com uma pincelada cor-de-rosa em cima, tornando-se quase branca.

Traíra ↘

Hoplias malabaricus
- **Família** *Erythrinidae*
- **Tamanho** Até 60 cm
- **Hábitat** Águas paradas, lagos, lagoas, brejos, matas inundadas e em córregos e igarapés, geralmente entre as plantas aquáticas
- **Reprodução** Ovípara
- **Alimentação** Predador voraz, alimenta-se de peixes, sapos e insetos

SITUAÇÃO **VULNERÁVEL** SITUAÇÃO

Agressivo, é um peixe de escamas, com corpo cilíndrico, boca grande, dentes bastante afiados, olhos grandes e nadadeiras arredondadas, exceto a dorsal. Seu corpo é coberto com grossas escamas cicloides e abundante camada de muco que o protege contra parasitas externos como sanguessugas.

SITUAÇÃO **VULNERÁVEL** SITUAÇÃO

Poraquê ↘

Electrophorus electricus
- **Família** *Gymnotidae*
- **Tamanho** 2,5 m
- **Hábitat** Ambiente lêntico, pobre em oxigênio, incluindo águas estagnadas, riachos, pântanos e afluentes
- **Reprodução** Ovípara
- **Alimentação** *Come outros peixes*

Produz uma descarga elétrica de até **500 volts**

Semelhante a uma enguia, sem nadadeiras dorsal, ventrais e caudais. Apresenta nadadeira anal longa e nadadeiras peitorais pequenas. Sua cor é castanho-avermelhada, com tonalidades amarelo-avermelhadas na cabeça. Parece-se com outras espécies de peixes elétricos da região neotropical. Sua característica mais marcante é a capacidade de produzir uma descarga elétrica fortíssima, entre 300 e 500 volts, que pode matar uma pessoa. O poraquê possui eletrócitos, células modificadas que geram eletricidade e transformam a energia não gasta em impulsos elétricos. Essa eletricidade cria um campo ao redor do peixe, para auxiliá-lo a capturar suas presas e protegê-lo de predadores.

Poecilia reticulata

- **Família** *Poeciliidae*
- **Tamanho** De 3 a 5 cm
- **Hábitat** Vai da água altamente turva à água cristalina em lagoas, canais, valas. Pode ser encontrado em meio à densa vegetação aquática
- **Reprodução** Ovípara. Prenha, a fêmea possui uma mancha escura na parte posterior da região do ventre, conhecida como ponto grávido. O período de gestação é de 28 a 35 dias, e a prole não recebe cuidados dos pais
- **Alimentação** Onívora

Apresenta muitas cores e formas, com diferentes caudas. Entre os guppies, encontram-se os de cauda delta, redonda, em lira, em espada superior, inferior e dupla, em alfinete, em véu, entre outras. Facilmente encontrado em rios do Sudeste do Brasil, mesmo rios poluídos. Em sua forma selvagem, apresenta tom cinzento.

Lebiste ↗

RÉPTEIS

Representada atualmente por mais de 6 000 espécies no mundo, a classe dos répteis (do latim, *reptum*, que significa rastejar) surgiu devido às diversas e importantes adaptações dos anfíbios primitivos, que se transformaram pela necessidade de sobrevivência na natureza durante milhões de anos. Já com as patas bem desenvolvidas, a pele rígida e escamosa e a respiração pulmonar, os répteis tiveram a possibilidade de explorar e conquistar diferentes ambientes terrestres. Esta classe contempla quatro ordens: *squamata* (serpentes e lagartos); crocodilianos (jacarés e crocodilos); quelônios (tartarugas e cágados) e rincocéfalos (tuataras da Nova Zelândia).

No período Carbonífero, entre 360 milhões a 286 milhões de anos atrás, iniciou-se o império dos répteis. Estima-se que o *Hylonomus,* um tipo de lagarto, tenha sido o pioneiro desse grupo, que conseguiu dar seus primeiros passos na terra. Depois, esse grupo alcançou seu apogeu no período Permiano, com o aparecimento dos dinossauros.

Os répteis são animais surpreendentes e extremamente importantes para o equilíbrio ecológico, para a cadeia alimentar e para a natureza. A maioria desses animais vive em zonas tropicais e subtropicais; são predominantemente predadores, embora algumas espécies de tartarugas e lagartos sejam herbívoras.

Os répteis substituem a pele frequentemente para permitir o crescimento do corpo, em um processo conhecido como ecdise. A pigmentação das escamas é responsável pelas manchas e pela coloração do corpo, servindo de camuflagem ou exibição. Em alguns lagartos, as escamas evoluíram para cristas, chifres ou outras formas exóticas, usadas em rituais de acasalamento ou como defesa. Para ter flexibilidade, esses animais possuem zonas de pele fina entre as escamas e as placas córneas, além de grande quantidade de fibras colágenas na derme. Com exceção dos crocodilianos, os répteis têm as patas na lateral do corpo, e não por baixo dele, o que

O **processo evolutivo** e a seleção natural deram início a uma nova classe

os obriga a se deslocar rastejando. Em muitos répteis, o crescimento ósseo não termina com a maturidade sexual, o que permite a muitos deles atingir tamanhos gigantescos.

Alguns sentidos são bem desenvolvidos: olhos grandes, visão apurada, forte percepção de movimento e sensores de temperatura. O paladar e a audição não são tão importantes nesta classe. Algumas espécies não apresentam abertura externa do canal auditivo, sendo os sons, nesse caso, transmitidos por vibrações dos ossos do maxilar e do crânio. Nas serpentes, e na maioria dos lagartos, a língua é bifurcada, permitindo, assim, localizar a origem de moléculas em suspensão no ar e captar cheiros ao redor, possibilitando, por exemplo, seguir o rastro dos odores de suas presas. A boca possui dentes implantados em alvéolos. Nas serpentes, os dentes são inclinados para trás, tal como as mandíbulas, o que permite segurar a presa enquanto é engolida; as cobras peçonhentas possuem presas, que são dentes longos e ocos, capazes de injetar veneno ao morder. Elas podem ser fixas

(como na naja e em serpentes marinhas) ou recolhidas para trás, quando não estão em uso (como nas cascavéis e nas víboras). O sistema respiratório é exclusivamente pulmonar; o sistema excretor possui rins metanéfricos, o que reduz, em grande parte, a perda de água pela urina, fundamental para sobreviverem em terreno seco.

Assim como os peixes e os anfíbios, os répteis são popularmente conhecidos como animais de sangue frio, incapazes de manter sua temperatura interna alta e constante. Por não gerarem calor metabólico, necessitam de sol para se aquecer. A fecundação é interna e, na grande maioria, são animais ovíparos. Os ovos são grandes e muito ricos em vitelo, com cascas córneas e anexos embrionários — ovos amnióticos, que evitam a ressecação do embrião. Há também alguns vivíparos (o ovo não é depositado no ambiente, ele se desenvolve dentro do corpo do animal e o filhote eclode pronto) e, apesar da reprodução sexuada, existem casos de partenogênese, em que a fêmea produz ovos sem que haja fecundação.

Caninana ↘

Spilotes pullatus
- **Família** *Colubridae*
- **Tamanho** 2,5 m
- **Hábitat** Diurna, arborícola, vive próximo de lagos e rios, nas árvores e arbustos
- **Reprodução** Ovípara
- **Alimentação** Roedores e aves

SITUAÇÃO **VULNERÁVEL** SITUAÇÃO

Embora não peçonhenta, esta serpente é muito agressiva. Quando molestada, infla o pescoço e arma o bote. Adapta-se bem aos ambientes degradados. Caça de forma ativa em ninhos e abrigos, no chão e em copas de árvores, alimenta-se inclusive de outras serpentes.

Cascavel ↘

SITUAÇÃO
VULNERÁVEL
SITUAÇÃO

Crotalus durissus collilineatus
- **Família** *Viperidae*
- **Tamanho** 1,5 m
- **Hábitat** Noturna, terrícola, vive em áreas mais abertas, quentes e secas
- **Reprodução** Vivípara
- **Alimentação** Roedores e aves

Peçonhenta, esta serpente possui no final da cauda uma estrutura conhecida como guizo. Ele é formado por anéis que se originam a cada troca de pele, sendo, então, o número de anéis igual ao número de trocas de pele. Esse guizo também é agitado quando a serpente está irritada, produzindo um som parecido com o de um chocalho. Vive, em geral, em campos abertos e em regiões secas e pedregosas.

SITUAÇÃO
VULNERÁVEL
SITUAÇÃO

Cobra-d'água ↘

Liophis miliaris
- **Família** *Colubridae*
- **Tamanho** 1 m
- **Hábitat** Lagoas
e pequenos rios
- **Reprodução** Ovípara
- **Alimentação**
Peixes e anfíbios

Não peçonhenta, causa muitos acidentes aos pescadores de água doce, porém com menos risco de injúria. Isso se deve ao fato de estas serpentes possuírem uma dentição opistóglifa (presas localizadas na parte posterior da boca), o que dificulta a injeção de peçonha. Essas serpentes podem ser encontradas costões rochosos no litoral à procura de peixes. É uma das serpentes mais conhecidas no Brasil.

AMEAÇADO DE **EXTINÇÃO** AMEAÇADO DE

Coral-verdadeira ↘

Micrurus corallinus
- **Família** *Elapidae*
- **Tamanho** Até 1 m
- **Hábitat** Florestas densas, ativa de dia e à noite, em ambiente terrestre e subterrâneo, no solo ou na serrapilheira
- **Reprodução** Ovípara
- **Alimentação** Serpentes e lagartos serpentiformes

Peçonhenta, tem hábito subterrâneo e só oferece perigo quando manuseada. Apesar de apresentar dentição opistóglifa, ela morde em vez de picar, o que dificulta a injeção de veneno, porém este é neurotóxico, que paralisa a sua presa. O envenenamento pode causar a morte nas primeiras 24 horas, principalmente se a vítima for uma criança.

Sua mordida pode causar a morte **em até 24 horas**

Falsa-coral ↘

Erythrolamprus aesculapii
- **Família** *Colubridae*
- **Tamanho**
De 35 a 50 cm
- **Hábitat** Zonas orientais tropicais e subtropicais do nível do mar a 2 300 m de altitude
- **Reprodução** Ovípara
- **Alimentação** Serpentes

Não peçonhenta, é muito parecida em sua coloração com a coral-verdadeira. Trata-se de uma serpente inofensiva, mas, por ser muito parecida com uma serpente bastante perigosa, põe em dúvida qualquer predador que vai atacá-la.

Jararaca ↘

Bothrops jararaca
- **Família** *Viperidae*
- **Tamanho** Até 1,2 m
- **Hábitat** Florestas e no cerrado, terrestre ou semiarborícola de atividade noturna
- **Reprodução** Vivípara
- **Alimentação** Roedores, anfíbios e lagartos

AMEAÇADO DE **EXTINÇÃO** AMEAÇADO DE

É a serpente peçonhenta que mais causa acidentes com morte no Brasil. Apresenta fosseta loreal, um órgão sensorial que detecta o calor das presas, é muito versátil e pode ser encontrada também ao redor das cidades, entre a produção de frutas e hortaliças.

Jararacuçu ↘

AMEAÇADO DE **EXTINÇÃO** AMEAÇADO DE

Bothrops jararacussu
- **Família** *Viperidae*
- **Tamanho** 1,5 m
- **Hábitat** Floresta de Mata Atlântica e floresta semidecídua. Terrícola e ativa principalmente à noite
- **Reprodução** Vivípara
- **Alimentação** Roedores e anfíbios

Peçonhenta, esta é uma das maiores do grupo das jararacas. Causa grandes acidentes, principalmente devido a seu porte, que a torna capaz de inocular muito mais veneno.

SITUAÇÃO
VULNERÁVEL
SITUAÇÃO

Jiboia ↘

Boa constrictor constrictor
- **Família** *Boidae*
- **Tamanho** 4 m
- **Hábitat** Diverso, não específico, podendo ocupar vários domínios morfoclimáticos, desde florestas tropicais até regiões semiáridas
- **Reprodução** Vivípara
- **Alimentação** Roedores, lagartos e aves

Não peçonhenta, tem dentes afiados e só morde quando se sente ameaçada. Quando irritada, expira com força o ar dos pulmões, fazendo um ruído caracterizado como o "bafo da jiboia". É uma serpente constritora, ou seja, abate suas presas através de um "abraço", apertando-a até o sufocamento.

Abate sua presa **apertando-a até sufocá-la**

Sucuri ↘

É a maior serpente do Brasil
e uma das maiores do mundo.
Não peçonhenta, é uma serpente
constritora, que abate sua presa
por sufocamento. É caracterizada
pelo grande porte, força e violência,
sendo capaz de engolir um bezerro.
Antigamente, existia a lenda de que
a sucuri se alimentava de seres
humanos, levando-os para o fundo
do rio. É também conhecida por
sucuriú, boiuna e anaconda.

AMEAÇADO DE EXTINÇÃO
AMEAÇADO DE

Eunectes murinus
- **Família** *Boidae*
- **Tamanho** 10 m, sendo considerada uma das maiores serpentes do mundo
- **Hábitat** Ambientes aquáticos, sendo observada em rios, lagos, lagoas, pântanos e brejos
- **Reprodução** Vivípara
- **Alimentação** Mamíferos, aves, jacarés e tartarugas de água-doce

A sucuri é capaz de engolir um **bezerro inteiro**

Jacaré-do-pantanal ↘

Caiman crocodilus yacare
- **Família** *Alligatoridae*
- **Tamanho** Até 2,5 m
- **Hábitat** Ocupa as planícies de inundação do Pantanal
- **Reprodução** Ovípara
- **Alimentação** Peixes, caranguejos, caramujos e insetos

Sua coloração é variada, apresenta o dorso particularmente escuro, com faixas transversais amarelas, principalmente na cauda. A cabeça não é triangular e o focinho é arredondado. Ele é semelhante ao jacaré-de-papo-amarelo.

SITUAÇÃO VULNERÁVEL SITUAÇÃO

Jacaré-paguá ↘

Paleosuchus palpebrosus
- **Família** *Alligatoridae*
- **Tamanho** De 1,4 a 1,8 m, considerada uma das menores espécies da família *Alligatoridae*
- **Hábitat** Pantanal, ocupa locais perto de água corrente, cachoeiras com substrato rochoso
- **Reprodução** Ovípara
- **Alimentação** Pequenos mamíferos e aves

Sua cabeça é mais fina e triangular, e o focinho, fino, comprido e reto. Possui um formato de crânio único: alto e liso. Tem olhos vivos e marrons e pálpebras com placas ósseas mais espessas. Seu baixo metabolismo permite que ele fique mais de 1 hora debaixo da água. Por ser pequeno, tem uma armadura forte para se proteger de seus predadores. Segundo dados do Ibama, esta espécie está vulnerável devido à caça e à área de distribuição restrita.

Pode ficar mais de 1 hora **debaixo d'água**

Jacaré-de-papo-amarelo ↘

Apresenta em geral cor esverdeada, com o ventre amarelado. Tem a cabeça arredondada e o focinho, largo e achatado. É um animal ectotérmico, ou seja, necessita do calor do sol para controlar sua temperatura corpórea. Dessa forma, desenvolve o comportamento de tomar banho de sol em grupo durante o dia e caçar à noite. Pode viver mais de 50 anos. Devido à destruição de seu hábitat, foi considerado ameaçado de extinção pelo Ibama em 2003. No entanto, atualmente, ele é criado em cativeiro e apresenta populações relativamente saudáveis em quase toda a sua zona de distribuição geográfica.

Necessita do calor do sol para controlar **sua temperatura corpórea**

Caiman latirostris
- **Família** *Alligatoridae*
- **Tamanho** Até 3 m
- **Hábitat** Ambientes com água parada ou com pouco movimento, como os manguezais, reservatórios, charcos, pântanos de água doce e salgada e brejos
- **Reprodução** Ovípara
- **Alimentação** Mamíferos, peixes e aves

AMEAÇADO DE
EXTINÇÃO
AMEAÇADO DE

Calango-verde ↘

Ameiva ameiva
- **Família** *Teiidae*
- **Tamanho** Até 50 cm
- **Hábitat** Floresta Amazônica, vive em matas e cerrados
- **Reprodução** ovípara, podendo colocar até 6 ovos
- **Alimentação** Frutas, verduras e ratos

Animal de hábitos diurnos, principalmente em altas temperaturas. Tem um corpo alongado e muito fino e possui cauda comprida. Abriga-se em buracos cavados por ele mesmo e movimenta-se sem parar até capturar um alimento, procurado entre folhas e embaixo de pedras. É também chamado de bico-doce.

AMEAÇADO DE EXTINÇÃO AMEAÇADO DE

Camaleão ↘

Trata-se um lagarto que possui atividade diurna e hábitos semiarborícolas, ocupando tanto a vegetação arbórea e arbustiva quanto a serapilheira das áreas onde ocorre. Durante a noite, pode ser encontrado em repouso na extremidade de galhos. Geralmente, lagartos de diversas espécies que são ativos durante o dia costumam dormir na ponta de galhos ou sobre folhas largas. É uma espécie que não possui autotomia caudal, um comportamento comum em muitos lagartos que soltam um pedaço da cauda quando ameaçados por um predador.

Teiú-listrado ↘

Tupinambis quadrilineatus
- **Família** *Teiidae*
- **Tamanho** 60 cm
- **Hábitat** Ambientes abertos e fechados da Floresta Amazônica, Mata Atlântica e cerrado, sempre associados à presença de rios
- **Reprodução** Ovípara
- **Alimentação** Ovos, artrópodes e pequenos vertebrados

Este é um lagarto de grande porte, com membros fortes e garras poderosas. Sua cauda é bastante comprida e, diferente do corpo, é cilíndrica. Caso seja quebrada por autotomia, pode regenerar-se. A sua cabeça é curta e com predominância de cores claras. Possui quatro linhas longitudinais e uma única grande escama entre o nariz e o olho.

Cobra-de-vidro ↘

Ophiodes striatus
- **Família** *Anguidae*
- **Tamanho**
De 20 a 30 cm
- **Hábitat** Áreas
abertas, como campos,
planícies e florestas
- **Reprodução** Vivípara,
nascendo, em média, de
8 a 10 filhotes após cerca
de 4 meses de gestação
- **Alimentação** Artrópodes,
principalmente ovos e larvas

Possui corpo cilíndrico e cauda alongada. Trata-se de uma espécie de lagarto praticamente ápodo, ou seja, com patas anteriores ausentes e membros posteriores extremamente reduzidos. Passa boa parte do tempo sob o solo ou folhedo, sendo, portanto, de difícil observação. Desloca-se por ondulações laterais do corpo e, quando manipulado, pode partir a cauda facilmente, que se recompõe pelo processo de regeneração. É também conhecido como quebra-quebra.

AMEAÇADO DE
EXTINÇÃO
AMEAÇADO DE

Cobra-de-duas-cabeças ↘

Amphisbaena alba
- **Família** *Amphisbaenidae*
- **Tamanho** 60 cm
- **Hábitat** Cerrados e campos. Gosta de cavidades no solo, sendo raro encontrá-la na superfície
- **Reprodução** Ovípara. Desova, anualmente, cerca de 2 a 3 ovos por postura
- **Alimentação** Minhocas, lesmas, vermes, larvas, baratas e outros insetos

Apresenta corpo cilíndrico, forte e uniforme. Caracteriza-se pela ausência de membros anteriores e posteriores e possui olhos bem pequenos. Tem o corpo coberto de escamas com sulcos longitudinais e transversais. Ao se sentir ameaçada, ergue as extremidades do corpo, de forma que a cauda e a cabeça se confundam, além de abrir a boca.

AMEAÇADO DE
EXTINÇÃO
AMEAÇADO DE

Cágado-amarelo ↘

Acanthochelys radiolata
- **Família** Chelidae
- **Tamanho** Sua carapaça atinge, no máximo, 20 cm de comprimento
- **Hábitat** Gosta de cursos de água lenta, cobertos com vegetação
- **Reprodução** Ovípara
- **Alimentação** Carnívora

Este quelônio tem a margem posterior do casco levemente denteada e a coloração escura, do gris ao preto. O lobo anterior do plastrão (parte ventral do casco) é ligeiramente erguido. Apresenta nariz curto e proeminente, e os olhos possuem a íris branca.

Jabuti-piranga ↗

AMEAÇADO DE EXTINÇÃO AMEAÇADO DE

Chelonoidis carbonaria
- **Família** *Testudinidae*
- **Tamanho** Pode atingir até 51 cm
- **Hábitat** Prefere campos mais abertos, pequenos bosques e veredas
- **Reprodução** Ovípara, o acasalamento ocorre na primavera e a desova, entre abril e junho
- **Alimentação** Na natureza, come frutas, sementes, flores e matéria orgânica em decomposição

Possui pés em forma de coluna, com dedos indistintos e garras robustas, casco ovalado e bastante alto. Apresenta manchas na cabeça e nas patas, de coloração que vai do laranja ao vermelho. As patas deste réptil são formadas externamente por escudos na cor preta e amarela ou preta e vermelha. Pode viver até os 80 anos.

AMEAÇADO DE **EXTINÇÃO** AMEAÇADO DE

Tartaruga-cabeçuda ↘

Caretta caretta

- **Família** *Cheloniidae*
- **Tamanho** Chega a medir 1,2 m de comprimento e pode pesar até 200 kg
- **Hábitat** Ocorre em águas costeiras, baías e estuários. Tem sido observada em alto-mar, onde é comum a pesca industrial
- **Reprodução** Ovípara, a desova ocorre entre setembro e março, depositando cerca de 110 a 130 ovos a cada postura
- **Alimentação** Carnívora, consome principalmente camarões, peixes, lulas, medusas e águas-vivas

Trata-se da espécie com a maior quantidade de ninhos encontrada no Brasil. Possui uma cabeça muito grande em relação ao resto do corpo e, por esse motivo, recebeu tal nome popular. Além disso, é subtriangular e com dois pares de escamas pré-frontais. A carapaça tem a forma de um coração quando adulta. Tem uma coloração castanho-avermelhada e amarela. É também conhecida como mestiça ou avó-da-aruanã e, devido à captura incidental na pesca, encontra-se ameaçada de extinção.

Tartaruga-da-amazônia ↘

Podocnemis expansa
- **Família** *Podocnemididae*
- **Tamanho** Chega a 80 cm e o peso, a 60 kg
- **Hábitat** Grandes rios e seus tributários de águas claras ou escuras, além de lagoas e lagos adjacentes a estes rios
- **Reprodução** Ovípara, a desova ocorre durante os meses de setembro e dezembro, nas primeiras horas da madrugada
- **Alimentação** Onívora. Alimenta-se de frutos, raízes, sementes, crustáceos, moluscos e animais mortos

Protegido por um escudo ósseo oval, seu casco é revestido por placas córneas e expandido próximo às patas traseiras. A carapaça possui coloração marrom com manchas, e o plastrão é marfim com machas escuras. A cabeça é levemente achatada e as patas são rígidas, com dedos com membranas interdigitais e unhas córneas. Pode ultrapassar os 100 anos de vida. Apesar de não estar em extinção, recomenda-se preservar os tabuleiros de desova. O Ibama há algumas décadas vem desenvolvendo trabalhos de conservação da tartaruga-da-amazônia nas áreas de desova e de alimentação. O Programa Quelônios da Amazônia visa à conservação da espécie.

AMEAÇADO DE **EXTINÇÃO** AMEAÇADO DE

Tartaruga-de-couro ↘

Dermochelys coriacea
- **Família** *Dermochelyidae*
- **Tamanho** Chega a medir 250 cm de comprimento e pode pesar até 700 kg
- **Hábitat** Realiza grandes deslocamentos transoceânicos. Encontrada nas praias, nos estuários, na superfície oceânica até 110 m de profundidade
- **Reprodução** Ovípara, geralmente, desova de 80 a 90 ovos por vez
- **Alimentação** Carnívora, preferindo águas-vivas e medusas

Apresenta uma camada de pele fina e resistente e milhares de pequenas placas ósseas, formando sete quilhas ao longo do comprimento, daí o nome popular, de couro. Apenas os filhotes apresentam placa. Ela é preta com manchas branco-azuladas e é a espécie de tartaruga marinha mais criticamente ameaçada de extinção, principalmente pela pesca incidental.

É a espécie **mais ameaçada de extinção**

ESPÉCIE EM EXTINÇÃO ESPÉCIE EM

Tartaruga-de-pente ↘

Eretmochelys imbricata
- **Família** *Cheloniidae*
- **Tamanho** De de 60 a 80 cm, podendo alcançar 150 kg
- **Hábitat** Recifes de coral, costões rochosos e atóis
- **Reprodução** Ovípara, desova, em média, de 110 a 180 ovos durante o verão, no norte da Bahia
- **Alimentação** Come de tudo, desde anêmonas e medusas a lagostas e caranguejos

Esta é a mais tropical e colorida das tartarugas marinhas, com uma mistura de marrom, preto, vermelho e amarelo. Apresenta carapaça elíptica e cabeça estreita com escamas na cor creme. Segundo o Ibama, trata-se de uma espécie em extinção. Já foi muito caçada — prática ilegal atualmente — para a fabricação de pentes (daí o nome popular), bijuterias e talheres, e por chamar a atenção por sua beleza.

Tigre-d'água ↘

Trachemys dorbigni
- **Família** *Emydidae*
- **Tamanho** As fêmeas podem crescer até 30 cm de comprimento
- **Hábitat** Rios, riachos, lagoas e banhados
- **Reprodução** Ovípara, a desova estende-se de agosto a janeiro, com postura média de 9 ovos
- **Alimentação** Basicamente carnívora (invertebrados, peixes e vertebrados mortos)

Apresenta uma combinação de cores entre o verde, o amarelo e o alaranjado. O plastrão é de tom amarelo a alaranjado, com padrão de bainhas escuras em sua borda. Apresenta uma mancha grande de coloração amarelo-alaranjada em cada lado da cabeça. É considerada uma das espécies mais vendidas ilegalmente por todo o Brasil por ser um animal exótico trazido da Ásia, o que pode ameaçar sua existência em nosso bioma. Vive até 30 anos.

Tartaruga-verde ↘

A mais conhecida das tartarugas marinhas e a espécie mais encontrada no litoral brasileiro. Apresenta uma gordura esverdeada abaixo do casco, daí advém seu nome. Esta espécie realiza migrações de mais de 2 000 quilômetros de distância.

Chelonia mydas
- **Família** *Cheloniidae*
- **Tamanho** Pode chegar a 1,5 m de comprimento e pesar cerca de 300 kg
- **Hábitat** Águas tropicais e subtropicais, de pouca profundidade, em áreas próximas a costas e ilhas
- **Reprodução** Ovípara, a desova pode ser de 110 a 130 ovos e ocorre no verão e durante à noite
- **Alimentação** Herbívora

Ela faz migrações de mais de **2 000 quilômetros**

ANFÍBIOS

São animais de formas, cores e diversidade incríveis, e estão divididos em três ordens biológicas: *Anura* (sapos, rãs e pererecas), *Gymnophiona* (cecílias) e *Urodela* (salamandras). A principal característica entre eles é a pele úmida, permeável e bastante vascularizada que conduziu a evolução e a ecologia do grupo por permitir parte das trocas gasosas (respiração cutânea). Por serem animais ectotérmicos, não regulam sua temperatura corporal e por isso não utilizam energia metabólica para a termorregulação, assim os anfíbios puderam adotar hábitos sedentários, não necessitando procurar grandes quantidades de alimento. Dessa forma, boa parte do que ingerem é convertida em reserva e não em calor. Entre os anfíbios, os menos conhecidos no Brasil são as salamandras, pois essas espécies estão concentradas, em sua maioria, no Hemisfério Norte. No país, há o registro de apenas uma espécie, na Amazônia. Outro grupo pouco conhecido de anfíbios é o das cecílias, ou cobras-cegas, que só recebem esse nome por apresentar os olhos recobertos de pele. O grupo dos anuros é o mais diversificado, são animais extremamente importantes nos ambientes em que vivem, pois representam uma grande parcela da fauna existente nos ecossistemas. As muitas estratégias de reprodução e desenvolvimento são outra característica marcante dos anuros. Na maior parte, a fecundação é externa e ocorre durante um forte abraço do macho na fêmea na região das axilas (ou pélvica, dependendo da espécie), que é chamado de amplexo. A postura e a fertilização dos ovos ocorrem durante esse processo e podem durar algumas horas ou vários dias.

As estratégias de deposição e o cuidado parental em anuros são muito curiosos. O padrão de deposição dos ovos considerado mais primitivo entre eles é quando os ovos gelatinosos são depositados na água. Outra forma comum nas espécies brasileiras é a desova na forma de ninho de espuma. Durante o amplexo, o casal produz uma espuma por meio do batimento das pernas sobre a desova. Assim, os

Os primeiros animais a se **aventurar no ambiente terrestre**

ovos são colocados nesses ninhos localizados em pontos específicos, como margem de corpos d'água. Algumas espécies carregam seus ovos nas costas até que eles eclodam e os girinos possam ser transportados para a água, mas em outras espécies eles se mantêm aderidos ao corpo de um dos pais até atingir um estágio avançado de desenvolvimento.

Entre os anuros há mais espécies e abrangente distribuição geográfica. Este fato pode estar relacionado com os modos de locomoção, por saltos, desenvolvidos no grupo; isso foi determinante, pois se trata da maneira mais rápida de se distanciar de uma ameaça, se comparada com o rastejamento, no caso das cecílias, ou ondulações, nas salamandras. Além disso, o salto evita que o animal deixe um rastro de odor, uma vez que os principais predadores são as cobras, que perseguem as presas pelo cheiro deixado pelo caminho. Assim, além de os anuros poderem fugir de predadores com uma série de saltos rápidos, evitam deixar pistas de sua localização ou esconderijo. Os anuros,

ao longo da história natural, também desenvolveram outras estratégias para evitar predadores. Uma delas é a camuflagem e, por isso, aquela fisionomia básica que se imagina quando se ouve falar no grupo, que é a cor esverdeada ou amarronzada e um aspecto mais grotesco, semelhante a folhas e detritos do solo em decomposição. Outra estratégia de proteção contra os predadores é a presença de veneno, com espécies dotadas de bolsas de toxinas, como os sapos comuns, ou toxicidade na pele, como alguns sapinhos coloridos.

Os anuros são intimamente vinculados ao local que habitam e são considerados indicadores ambientais, permitindo uma análise das condições de uma região e suas transformações ao longo do tempo, por serem muito sensíveis às pertubações mínimas na floresta. Outro aspecto importante que os anuros exercem nos ecossistemas está relacionado à presença das duas fases de vida desses animais, isto é, a aquática, quando são girinos, e a terrestre, quando, a partir da metamorfose, se tornam adultos.

Pingo-de-ouro ↘

AMEAÇADO DE **EXTINÇÃO** AMEAÇADO DE

Brachycephalus ephippium

- **Família** *Brachycephalidae*
- **Tamanho** Aproximadamente 1,4 cm
- **Hábitat** Partes altas da floresta, na região montanhosa, a cerca de 920 m de altitude, embaixo das serrapilheiras, em ambiente rico em matéria orgânica
- **Reprodução** Os machos vocalizam sobre a serrapilheira. A desova é terrestre, em buracos de barrancos ou no chão, em meio às folhas, com poucos ovos, despigmentados e ricos em vitelo. O desenvolvimento é direto, com os recém-nascidos iguais aos adultos, mas menores, não passando pela fase de girino

Esta espécie apresenta apenas dois dedos funcionais nos membros superiores e três artelhos (dedos) nos membros posteriores. Possui uma cobertura óssea sobre a cabeça e placas ósseas na parte dorsal. De hábitos diurnos, habita matas de encosta em altitudes acima de 750 metros, onde anda no chão ou em bromélias. Grandes grupos podem ser encontrados de manhã em tempo ensolarado e após fortes chuvas. A vocalização consiste de um trilo febril.

Sapo-da-floresta ↘

AMEAÇADO DE
EXTINÇÃO
AMEAÇADO DE

Rhinella sp.
- **Família** *Bufonidae*
- **Tamanho**
7 cm, o macho
- **Hábitat** Florestas ombrófilas densas, em áreas montanhosas de serras com florestas úmidas
- **Reprodução** A desova é bem parecida com a de *Bufo ictericus*, a diferença é que o cordão de gel é único, e não duplo. Os girinos são pequenos, quase negros e se mantêm agrupados

Ao contrário do sapo comum *(B. ictericus),* esta espécie não é encontrada em áreas urbanas, mas pode aparecer em zonas rurais e embaixo de postes de luz, próximos a áreas florestadas. Considerado mais arisco, o sapo-da-floresta tem sido ameaçado pela destruição de seu hábitat. Na época de reprodução, dirige-se aos lagos e se torna alvo fácil de predadores, principalmente morcegos.

139

Sapo-cururu ↗

SITUAÇÃO **VULNERÁVEL** SITUAÇÃO

Chaunus schneideri
- **Família** *Bufonidae*
- **Tamanho** 18 a 21 cm
- **Hábitat** Florestas úmidas da Mata Atlântica, cerrado em áreas abertas e também em centros urbanos
- **Reprodução**
Os ovos são depositados diretamente na superfície da água em cordões de gel

É uma das espécies mais comuns de sapo. Possui duas glândulas atrás dos olhos, que, quando espremidas, liberam bufotoxinas, secreções tóxicas que causam irritações cutâneas em pessoas sensíveis e é comum acontecer de cães, ao abocanharem esses animais, sofrerem sérias complicações no sistema nervoso e circulatório. Durante o dia, o sapo-cururu abriga-se sob pedras e troncos, ou mesmo no interior de calhas e canaletas. São muito comuns na área urbana, onde há abundância de alimento (insetos em postes de luz). O macho vocaliza somente no período noturno.

Rã-de-vidro ↘

Hyalinobatrachium eurygnathum
- **Família** *Centrolenidae*
- **Tamanho** Cerca de 2 cm
- **Hábitat** Matas ciliares dos córregos e ribeirões das matas de encosta
- **Reprodução** Deposita seus ovos em folhas pendentes sobre a água de córregos no interior da floresta, onde os girinos caem e costumam ir para o fundo

Apresenta uma coloração esverdeada transparente, sendo o ventre especialmente hialino, daí o nome popular. Habita arbustos das margens de córregos e ribeirões das matas de encosta. Esta espécie vem sofrendo forte diminuição populacional nas áreas altas do Sudeste, mesmo em locais em que aparentemente não houve alta ação antrópica. Em algumas localidades já não é encontrada.

AMEAÇADO DE **EXTINÇÃO** AMEAÇADO DE

AMEAÇADO DE **EXTINÇÃO** AMEAÇADO DE

Perereca-de-capacete ↘

Aparasphenodon brunoi
- **Família** *Hylidae*
- **Tamanho** 3 a 7 cm
- **Hábitat** Florestas de restinga da Mata Atlântica
- **Reprodução**

A postura dos ovos ocorre em água parada de poças e brejos, onde os girinos se desenvolvem até a metamorfose

De coloração olivácea ou parda, com algumas manchas escuras bordeadas de branco e membros com listras escuras, sua pele é lisa na parte dorsal e um pouco granulosa na parte ventral. Pertence a um grupo de pererecas de cabeça dura e usa esse "capacete" para tampar a entrada do buraco onde se abriga para se proteger dos predadores e insetos hematófagos. É encontrada, em estado de dormência, em geral em bromélias. Nesse estado, o animal até pode ser manuseado, sem que acorde, a não ser que seja exposto à luz. De hábitos noturnos, sua cor pode se alterar ao sair do buraco. Esta espécie carrega os ovos nas costas, num saco dorsal que os deixa parcialmente expostos, como bolinhas grudadas. Assim, o embrião passa todas as fases do desenvolvimento ali, inclusive a larval, de girino.

Rã-flautinha ↘

Aplastodiscus albosignatus
- **Família** *Hylidae*
- **Tamanho** 3,9 a 4,65 cm, o macho
- **Hábitat** Borda de florestas, assim como áreas abertas com vegetação arbustiva baixa
- **Reprodução** Os ovos são depositados em tocas subterrâneas inundadas, escavadas pelo macho, próximas à água

Seu nome popular vem da vocalização que se assemelha ao som da flauta. Os machos costumam vocalizar no alto das árvores, taquaras e arbustos, sempre às margens da água, o que dificulta sua visualização. Apresenta a cor verde na superfície dorsal do corpo e íris de duas cores. Sensível a alterações ambientais, sofre com o desmatamento de matas ciliares e a poluição dos rios. Atualmente há poucos lugares onde esta rã pode ser encontrada.

Perereca-com-anéis-nas-coxas ↘

Bokermannohyla circumdata

- **Família** Hylidae
- **Tamanho** 5,5 a 7 cm
- **Hábitat** Florestas úmidas e terras alagadas
- **Reprodução** Os ovos são metade de cor creme, metade de coloração escura e são depositados em córregos, onde se desenvolvem os girinos

De coloração geral parda ou bege, podendo variar bastante, apresenta faixas irregulares transversais no dorso e anéis escuros nas coxas. Os flancos são de cor violeta e a pupila é transversal, elíptica e de coloração amarelada metálica. O corpo é robusto, as pernas são alongadas e a cabeça tem formato oval. São espécies de floresta montanhosa e que vivem na vegetação próxima a cursos d'água. A vocalização é forte e se assemelha a gargalhadas.

Jia-de-banheiro ↘

Corythomantis greeningi
- **Família** *Hylidae*
- **Tamanho** 10 a 15 cm, com os membros esticados
- **Hábitat** Espécie exclusiva de mata branca e áreas secas da caatinga
- **Reprodução** Em corpos de água temporários de áreas abertas

Sua cabeça é chata e dura, coberta por espinhos e glândulas de veneno, em forma de verrugas escuras. Com uma pele lisa e úmida, seu nome popular se origina do fato de ser frequentemente encontrada na parede de banheiros. Esta espécie apresenta uma estratégia bastante curiosa de sobrevivência. Quando chega a estiagem, ela se abriga em um buraco de árvore e fecha a abertura com a cabeça dura, podendo permanecer por meses e até anos, praticamente sem perder água, até que a chuva volte. Passa os dias imóvel e durante a noite só se move para abocanhar algum inseto que passar, para logo depois voltar ao estado de dormência.

145

Pererica ↘

Dendropsophus microps
- **Família** *Hylidae*
- **Tamanho** 2,1 a 2,5 cm o macho, e 2,8 a 3,2 cm a fêmea
- **Hábitat** Florestas úmidas da Mata Atlântica e regiões montanhosas
- **Reprodução** A desova tem formato irregular, com cerca de 300 a 500 ovos

Apresenta o dorso castanho, alaranjado, bege ou castanho-avermelhado, em um padrão semelhante ao encontrado em casca de árvore ou liquens. O ventre é branco e as partes anteriores da perna e pé são vermelhas ou laranjas. Possui uma área clara sob o olho e o tímpano. Habita a região florestal e é frequentemente encontrada nas bordas. O acasalamento ocorre no período do verão, em pequenos corpos de água parada, onde vocalizam, geralmente na vegetação vertical. Durante a noite, ao vocalizar, os machos mudam de cor, tornando-se uniformemente amarelos. Os girinos são de coloração castanho-escura, com duas estrias largas, laterais e brancas.

AMEAÇADO DE **EXTINÇÃO** AMEAÇADO DE

Perereca-coral ↘

Dendropsophus anceps
- **Família** *Hylidae*
- **Tamanho** 3,5 a 3,7 cm o macho, e 3,9 a 4,2 cm a fêmea
- **Hábitat** Áreas abertas de florestas e águas lentas, incluindo reservatórios construídos pelo homem
- **Reprodução** Os ovos são metade de cor creme e metade de coloração escura, com cerca de 1 mm de diâmetro

De costas amarronzadas e ventre vermelho, apresenta as coxas de coloração vermelha com listas escuras. É uma espécie mais robusta, com o tronco curto e as pernas longas. Vive em locais baixos, entre montanhas, mesmo sob o sol forte. A vocalização é alta, de ritmo rápido e bem característica. As fêmeas são um pouco maiores e os machos apresentam um saco vocal grande e hialino.

Perereca-de-moldura ↘

Dendropsophus elegans
- **Família** *Hylidae*
- **Tamanho** De 2 a 2,7 cm o macho, e de 2,9 a 3,6 cm a fêmea
- **Hábitat** Ambientes de água corrente, coloniza açudes, lagoas e reservatórios construídos pelo homem
- **Reprodução** Deposita seus ovos, de cor creme, na vegetação sobre a água

Recebe o nome popular devido ao desenho nas costas, uma faixa branca que também recobre as tíbias. Durante o dia, apresenta uma coloração mais escura, deixando a moldura bastante visível. Habita florestas primárias, secundárias e bordas de mata. Esta espécie pode ser encontrada em áreas abertas e costuma viver na vegetação próxima a pequenos corpos d'água, de águas mais paradas, temporários ou permanentes. O período de reprodução é curto, restrito à época chuvosa. O macho vocaliza na vegetação de brejos, em um canto de notas pulsadas.

Perereca-de-bananeira ↘

Hypsiboas raniceps
- **Família** *Hylidae*
- **Tamanho** De 4 a 6,4 cm o macho, e 5 a 7,7 cm a fêmea
- **Hábitat** Encontrada em áreas abertas, em bordas de florestas úmidas
- **Reprodução** Deposita seus ovos, de cor creme, na vegetação sobre a água

É uma espécie arborícola, de porte médio e hábitos noturnos, que costuma se proteger nas folhagens durante o dia. À noite, principalmente durante o período de chuvas, vocaliza na vegetação. É encontrada comumente em arbustos próximos a locais alagadiços temporários e utiliza as bainhas de bananeiras como abrigo, por isso o nome popular. Os machos costumam iniciar a vocalização ao entardecer. Eles não procuram ativamente pela fêmea e sim demarcam e defendem o seu território à espera dela. Há dois tipos de canto, o de anúncio e o territorial. Quando encontra um local para vocalizar, caso perceba a presença de outro macho, emite o canto territorial e então sai para persegui-lo.

Pererereca ↘

Hypsiboas semilineatus

- **Família** Hylidae
- **Tamanho** Cerca de 4,3 cm
- **Hábitat** Habita as bordas das florestas úmidas e clareiras de matas ciliares
- **Reprodução** Desovam na superfície da água. Os girinos são de coloração escura e costumam se agregar, sendo por esse motivo de fácil visualização

Sua vocalização pode ser comparada **ao som de passos humanos**

Vocaliza nas margens de brejos e habita clareiras e bordas da mata. Apresenta um pequeno apêndice nos calcanhares e sua vocalização pode ser comparada com o som de pés humanos atolando na lama ou às vezes com o latido de um cão.

Pererreca-da-mata ↘

Itapotihyla langsdorffii
- **Família** *Hylidae*
- **Tamanho** Cerca de 7 cm o macho e 9 cm a fêmea
- **Hábitat** Áreas preservadas nas bordas das florestas úmidas da Mata Atlântica
- **Reprodução** Os ovos são depositados diretamente na água

Apresenta uma coloração verde-musgo, com manchas acinzentadas e uma faixa verde nas costas, lembrando o padrão de casca de árvore com liquens. Esta espécie exibe discos adesivos nos dedos, de coloração verde-azulada e os olhos dourados, rajados de preto. De hábitos noturnos, reproduz-se nas estações chuvosas. Sua vocalização se assemelha ao som de batidas de pedaços de pau ou até mesmo castanholas. Durante a época de reprodução, e após chuvas fortes, o canto se torna mais intenso e pode ser ouvido também durante o dia.

Perereca-olho-de-gato ↘

Phyllomedusa burmeisteri
- **Família** *Hylidae*
- **Tamanho** 5,5 a 7,5 cm
- **Hábitat** Arborícola, encontrada na vegetação arbustiva próxima a lagoas no interior de matas, inclusive em áreas degradadas
- **Reprodução** Os ovos são depositados dentro de funis de folhas dobradas pelas próprias rãs, pendentes sobre poças de água ou porções de água paradas em curvas de rios; assim, os girinos caem após a eclosão, completando seu desenvolvimento

De forma robusta, possui manchas amarelas contornadas de azul nas laterais do corpo e das pernas. É encontrada sobre a vegetação, próximo a corpos d'água e costuma habitar regiões altas, com altitudes acima de 1 000 metros.

Intanha ↘

Ceratophrys aurita
- **Família** *Ceratophryidae*
- **Tamanho** Cerca de 10 cm
- **Hábitat** Florestas subtropicais ou tropicais úmidas de baixa altitude, pântanos de água doce, charcos permanentes e lagoas da Mata Atlântica
- **Reprodução** Em poças de água, após chuvas fortes, em sincronia com espécies de reprodução explosiva, cujas larvas servirão de alimento para seus girinos

De grande porte e com apêndices palpebrais, de colorido variável. Pode ter o dorso verde ou amarelo, com ornamentos simétricos de coloração marrom-escura. Apresenta a cabeça ossificada, assim como placas na parte dorsal do tronco. Tem o hábito de se enterrar parcialmente no chão da mata, o que torna difícil sua visualização. Há registros de observações em que o animal, espreitando-se no chão da mata para atrair suas presas, mantém os artelhos levantados e em movimento para simular o corpo de vermes. Em comportamento agressivo, quando se assusta, grita e investe para morder.

153

Rã-pimenta ↳

Leptodactylus labyrinthicus
- **Família** *Leptodactylidae*
- **Tamanho** Cerca de 18 cm
- **Hábitat** Formações abertas a florestais em bordas de matas ciliares e de galeria da Mata Atlântica e do cerrado
- **Reprodução** Forma ninhos de espuma, onde os ovos são depositados

Possui uma secreção da pele para evitar predadores que irrita as mucosas dos olhos e nariz. Tem uma coloração escura; as manchas avermelhadas nas coxas diferenciam a espécie. De hábitos noturnos, é bastante flexível quanto ao hábitat. Pode ser encontrada em regiões abertas, secas ou úmidas, acima de 1 000 metros. Vive na água, ou então no solo próximo a corpos de água. É uma espécie mais robusta e pesada, capaz de comer dois camundongos em uma só abocanhada. Sua pele e carne têm potencial econômico.

Rã-cachorro ↘

Physalaemus cuvieri
- **Família** *Leptodactylidae*
- **Tamanho** De 2 a 3,5 cm
- **Hábitat** Formações abertas de cerrado e caatinga, podendo ser encontrada em regiões de mata e florestas úmidas
- **Reprodução** São depositados de 400 a 700 ovos, envolvidos em uma espuma protetora e aderidos às gramíneas na margem da água

A vocalização é parecida com o latido de um cachorro. Em alguns lugares costuma-se achá-la parecida com a expressão "foi gol, não foi". Apresenta padrões de coloração e textura do dorso variáveis, mas o mais comum é o dorso liso e cinza, com uma mancha lateral em forma de ômega. Exibe uma coloração alaranjada ou avermelhada na região inguinal, na região posterior da coxa e perto das axilas. As fêmeas apresentam o dorso listrado. Esta espécie possui hábitos noturnos. Bastante versátil na ocupação de ambientes, pode atingir lugares bem distantes do local de nascimento. O acasalamento ocorre em corpos d'água permanentes ou temporários.

Sapo-de-chifres ↘

AMEAÇADO DE
EXTINÇÃO
AMEAÇADO DE

Proceratophrys melanopogon
- **Família** *Odontophrynidae*
- **Tamanho** De 3,3 a 4,5 cm o macho, e 3,8 a 5,8 cm a fêmea
- **Hábitat** Florestas de encostas e nas vertentes da Mata Atlântica e em regiões montanhosas e de serra
- **Reprodução** Os ovos são depositados, durante as chuvas, em águas correntes provisórias, de onde são carreados para córregos mais duradouros

De coloração marrom, semelhante a folhas mortas. Entre as espécies do gênero *Proceratophrys* com apêndice rostral, esta espécie é aquela com o apêndice mais desenvolvido. Possui hábitos estritamente florestais, vive em locais mais úmidos. O tom da voz é mais agudo, levando-se em conta que no gênero as espécies restantes costumam apresentar a voz mais grave.

Rãzinha-de-caranguejo ↘

Arcovomer passarellii

- **Família** *Microhylidae*
- **Tamanho** Cerca de 2 cm
- **Hábitat** Florestas subtropicais ou tropicais úmidas de baixa altitude e cursos intermitentes de água doce
- **Reprodução** O amplexo ocorre dentro das tocas, com os ovos depositados ali mesmo, na água acumulada no fundo. Após chuvas fortes, há a formação de brejos, onde os girinos completam sua metamorfose

Apresenta a parte dorsal marrom, com uma faixa longitudinal central mais escura. É uma rãzinha de cabeça pequena, extremidades dos dedos um pouco dilatadas e um par de pintinhas escuras logo na região de articulação entre as coxas e o tronco. Habita baixadas, sob os detritos do solo. O macho costuma vocalizar desde o início da primavera, próximo ou mesmo de dentro das tocas de caranguejos de água doce do gênero *Trichodactylus,* em um padrão de assobios finos e débeis.

157

Rãzinha-bicuda ↘

Myersiella microps
- **Família** *Microhylidae*
- **Tamanho** De 2 a 3 cm o macho e 2,5 a 4,5 cm a fêmea
- **Hábitat** Na serrapilheira nas florestas úmidas da Mata Atlântica
- **Reprodução** Desova em poças d'água rasas de áreas abertas, formadas após chuvas fortes

O corpo em geral tem coloração escura e a parte ventral é amarela. A vocalização se assemelha a um apito. Uma característica marcante que a diferencia é o corpo ovoide e a cabeça triangular. Vive em tocas em campos abertos, onde se alimenta de formigas e cupins, em cujos ninhos habita. Vocaliza, mais frequentemente durante a noite, entre hastes de gramíneas, em água rasa.

Alimenta-se de formigas e cupins, em cujos **ninhos habita**

Rã-touro ↘

Lithobates catesbeianus
- **Família** *Ranidae*
- **Tamanho** Até 20 cm
- **Hábitat** Ocorre em cursos d'água como lagos, lagoas, reservatórios e riachos de águas rasas
- **Reprodução** Os ovos são relativamente grandes, depositados no solo, sob a serrapilheira. O desenvolvimento da prole é direto, mas os filhotes passam pela fase de girino dentro dos ovos; e os embriões desenvolvem-se protegidos pela mãe

Grande e carnívora, essa rã pesa até 1,5 kg. Nativa da América do Norte (American Bullfrog), sua distribuição hoje é globalizada devido ao cultivo da espécie. No entanto, as práticas humanas no manejo desse animal vêm apresentando diferentes níveis de impacto ambiental, pois a rã-touro compete com espécies endêmicas do mundo inteiro, ameaçando-as de extinção.

Cobra-cega ↘

AMEAÇADO DE EXTINÇÃO AMEAÇADO DE

Siphonops annulatus
- **Família** *Siphonopidae*
- **Tamanho** De 17,5 a 37 cm
- **Hábitat** Florestas tropicais ou subtropicais úmidas de planícies, savana, pastagens, plantações e jardins rurais
- **Reprodução** Os ovos são depositados em buracos cavados no solo. Há cuidado parental com a prole, em um padrão distinto entre os anfíbios

Apresenta pregas anulares e coloração ardósio-azulada. Não possui pescoço. Os olhos são reduzidos e o crânio, ossificado. Na região entre os olhos e o nariz há um tentáculo mole e pontudo, de função sensorial táctil. Por percorrer galerias sem luz, esse órgão tem importante função na orientação espacial do animal. Bastante versátil, adapta-se aos ambientes, sendo comum observá-la em zonas urbanas. Durante o cuidado com a prole, a pele da mãe altera sua cor e produz uma secreção nutritiva, que os filhotes, dotados de dentes, raspam da pele da mãe e se alimentam.

Adapta-se aos ambientes, sendo comum observá-la **em zonas urbanas**